与农村党员谈心

说一说农村学习实践科学发展观

中共山西省委深入学习实践科学发展观活动领导小组办公室 编

山西出版集团
山西人民出版社

图书在版编目（CIP）数据

与农村党员谈心：说一说农村学习实践科学发展观／中共山西省委深入学习实践科学发展观活动领导小组办公室编.—太原：山西人民出版社，2009.9
ISBN 978-7-203-06590-6

Ⅰ.与… Ⅱ.中… Ⅲ.农村党员—科学发展观—山西省—学习参考资料 Ⅳ.F327.25

中国版本图书馆CIP数据核字（2009）第173956号

与农村党员谈心：说一说农村学习实践科学发展观

编　　者：	中共山西省委深入学习实践科学发展观活动领导小组办公室
责任编辑：	秦继华
装帧设计：	谢　成
出 版 者：	山西出版集团·山西人民出版社
地　　址：	太原市建设南路21号
邮　　编：	030012
发行营销：	0351-4922220　4955996　4956039
	0351-4922127（传真）　4956038（邮购）
E-mail：	sxskcb@163.com　发行部
	sxskcb@126.com　总编室
网　　址：	www.sxskcb.com
经　销　者：	山西出版集团·山西人民出版社
承　印　者：	山西出版集团·山西新华印业有限公司
开　　本：	850mm × 1168mm　1/32
印　　张：	6.5
字　　数：	123千字
印　　数：	1—100 000册
版　　次：	2009年9月第1版
印　　次：	2009年9月第1次印刷
书　　号：	ISBN 978-7-203-06590-6
定　　价：	10.00元

如有印装质量问题请与本社联系调换

更好地用科学发展观武装农村党员、造福农民群众

中共山西省委书记 张宝顺

开展深入学习实践科学发展观活动，是用马克思主义中国化最新成果武装全党的重大举措，是加强各级党组织和党员干部队伍建设、保持和发展党的先进性的内在要求，是应对国际金融危机冲击、推动经济平稳较快发展的强大动力和保障。农村基层党组织和党员干部处在带领农民群众发展生产、改善生活、建设家园的第一线，是科学发展观在农村贯彻落实的组织者和推动者。目前，第三批学习实践科学发展观活动正在深入推进。如何抓好农村党员干部的学习实践活动，如何把科学发展观贯彻落实到农村各项工作中，进而加快社会主义新农村建设，是各级党委必须解决好的重大课题。

贯彻落实科学发展观，抓好学习、领会精神是前提，联系实际、解决问题是关键。农村党员生产任务繁重、学

习条件相对较差,必须有针对性地为他们开展学习提供良好服务,做好帮学、送学工作。一方面要采取适合农村党员特点的方式方法,组织好学习教育,加深对科学发展观的理解;另一方面要突出实践特色,紧紧围绕新农村建设这一中心任务,通过搞好学习实践活动,让农村党员面貌发生新的变化,让农民群众得到更多实惠。一是要通过学习实践活动,努力走出符合农村实际、切合群众意愿的发展路子。在深刻领会科学发展观的科学内涵、精神实质和根本要求的基础上,和农民共商农事、共谋发展、共话和谐,立足村情实际,准确把握农民群众的愿望和期盼,认真谋划农村实现科学发展的总体思路和主要举措,找准每个乡镇、每个村推动科学发展的具体抓手,使农村党员干部群众明确努力方向。二是要通过学习实践活动,更好地破解"三农"工作面临的突出问题。切实找准和着力解决制约农业增效、农民增收的瓶颈问题,促进农业生产力和农村经济发展;切实找准和着力解决影响农村和谐稳定的突出问题和苗头性问题,富有成效地服务群众、维护稳定、营造和谐;切实找准和着力解决农村党员干部在思想观念、领导能力、作风建设等方面与推动科学发展、建设新农村不适应和不符合的问题,大力学习弘扬"右玉精神"、纪兰精神等先进典型,在群众中增强号召力和感召力,树立可亲、可敬、可信的良好形象。三是要通过学习实践活动,促进农民群众共享改革发展成果。坚持以人为本,把维护农民切身利益放在突出位置,落实各项强农惠农政策,扎实推进"五大惠民工程",繁荣发展农村文化,加强农村基层民主管理,推动农民收入持续提高、生活环境逐步改善、文化素质不断提升、各项权益有效落实。四是要通过学习实践活动,进一步提高农村党组织的创造力、凝聚力和战斗力。农村基层党组织作为农村各项工作的领导核心,要把发展现代农业、培养新型农民、带领群众致富、维护农村稳定贯穿工作始终,深化三级联创活动,完善相关制度,改进工作方法,弘扬优良作风,建设高素质的基层党组织带头人队伍,发挥好大学生"村官"的作用,以农村党员队伍建设带动整个农民队伍建设,不断巩固党在农村的执政基础,切实为新农村建设提供坚强保证。

省委深入学习实践科学发展观活动领导小组办公室编写了《与农村党员谈心——说一说农村学习实践科学发展观》一书。这本辅导教材形式新颖、事例鲜活,语言生动、通俗易懂,贴近农村实际,讲到了农民的心坎上,具有鲜明的时代特征和浓郁的生活气息,是一本具有我省特点的学习实践科学发展观的乡土教材,相信对广大农村党员干部学习实践科学发展观会大有裨益。

党的十七届四中全会对加强基层党组织建设作出了新部署、提出了新要求。希望各级各部门以深入学习实践科

学发展观活动为契机,拓宽工作视野,自觉深入基层,以奋发有为的精神和为民务实的态度,在加强农村基层党组织和农村党员干部队伍建设上多办实事,开创"三农"工作新局面,促进全省经济社会又好又快地发展。

引 言

在全党开展深入学习实践科学发展观活动,是党的十七大作出的战略决策,是用中国特色社会主义理论体系武装全党的重大举措,是"三个代表"重要思想学习教育活动和保持共产党员先进性教育活动的继续,是深入推进改革开放、推动经济社会又好又快发展、促进社会和谐稳定的迫切需要,是提高党的执政能力、保持和发展党的先进性的必然要求。

按照中央要求和省委的安排部署,我省已经顺利完成了第一批、第二批学习实践活动,目前正在开展第三批的学习实践活动。与第一批、第二批相比,第三批学习实践活动主要在乡镇、街道,村、社区,中等职业学校、中小学校、医院和新经济组织、新社会组织等单位开展,涉及全省4.47万个单位、112万多名党员。参加活动的单位和党员不仅数量多、差别大、分布广,而且处在工作生产的第一线,关系改革发展稳定的最前沿。因此,第三批学习实践活动最接近基层、最贴近群众。第三批学习实践活动搞得怎么样,关系到第一批、第二

批学习实践活动成果的巩固和拓展乃至学习实践活动的整体成效,关系到党执政基础的巩固和加强,关系到"保增长、保民生、保稳定"任务的落实和"转型发展、安全发展、和谐发展"的推进,关系到党的十七届四中全会精神的贯彻落实。

  为了扎实推进第三批学习实践活动,给农村党员提供一本通俗易懂、反映农村工作实际、对农村贯彻落实科学发展观有启示和帮助作用的普及性辅导读物,中共山西省委深入学习实践科学发展观活动领导小组办公室组织力量编写了《与农村党员谈心——说一说农村学习实践科学发展观》。本书采用了对话体的写作方式,设置了三个人物:某市政策研究室负责人张主任、某村党支部书记王支书和老党员老李。

  本书的场景设置是:在全党开展的深入学习实践科学发展观活动中,张主任下乡到农村调研,与王支书和老李相遇,三人就农村学习实践科学发展观、建设社会主义新农村展开了一系列对话……

目 录

科学发展观点亮了咱农民的心
——谈谈如何搞好农村深入学习
　实践科学发展观活动 …………………… /1

农村就是不一样了 ………………………………… /1
农村需要解决的问题还有很多 …………………… /7
科学发展观是咱的指路明灯 ……………………… /9
农村开展学习实践活动真是太有必要了 ………… /13
科学发展观首先要发展，关键是怎样发展 ……… /16
以人为本就要把农民的利益作为出发点 ………… /18
发展不能只管今天，不顾明天 …………………… /21
治国安邦先要吃好饭 ……………………………… /23
农村更需要转型、安全、和谐 …………………… /24

农村要发展就必须抓紧转型
——谈谈建立完善的现代农业产业体系 ………… /28

转型首先要转观念 ………………………………… /28
农、林、牧、副、渔,工、商、游、购、娱,都是咱农民的钱袋子 …………………………………………… /31
农民也要玩科技 …………………………………… /38
土地承包经营权不能变 …………………………… /43
土地流转要坚持"三不得" ……………………… /45
专业合作社整合了大资源 ………………………… /49
集体林权制度改革调动了大家的积极性 ………… /52
征地就要有补偿 …………………………………… /54
不搞资源整合不行 ………………………………… /56
"以煤补农"促和谐 ……………………………… /60
小额贷款解决了农民的大难题 …………………… /62
农业投入要有保障 ………………………………… /66
城乡一体化是大趋势 ……………………………… /68

共产党就是要让农民过得舒心
——谈谈必须完善农村公共服务体系 ………… /73

"五个全覆盖"暖了咱农民的心 ………………… /73
农村基础建设还要下工夫 ………………………… /75
扶贫就要有新举措 ………………………………… /77

农民工是咱亲骨肉 …………………………… /80
新农村建设要靠新农民 ………………………… /82
小病不出村，大病有保障 ……………………… /85
娃儿们上学放心啦 ……………………………… /89
养老保险让咱过好后半生 ……………………… /92
计划生育的国策不能松 ………………………… /95
农民也能当明星 ………………………………… /98
文化站让咱亮堂堂 ……………………………… /100
农村的文明要靠咱农民建 ……………………… /105
信教首先要爱国 ………………………………… /108
打黑除恶才能保平安 …………………………… /110
稳定才能有发展 ………………………………… /112
防灾减灾是件大事情 …………………………… /116

一山一水都是咱农民的心头肉
——谈谈健全农村发展环境的保障机制 ……… /120

土地是个要命的事 ……………………………… /120
农业生态环境不仅仅是农业的事 ……………… /125
水利设施关系大 ………………………………… /130
植树造林和水土保持不能放松 ………………… /133
农村生产和生活污染要整治 …………………… /137
农林副产品和废弃物也要再利用 ……………… /140
城乡环境卫生管理要一体化 …………………… /143

农村要想富,离不开党支部
——谈谈进一步加强和改进农村党的建设 ······ /146

咱农民说话管用了 ················· /146
领导班子是关键 ·················· /149
团结才能办大事 ·················· /152
像王海潮那样的干部越多越好 ············ /155
艰苦奋斗不能丢 ·················· /157
党员就要有先进性 ················· /160
村务公开是件大好事 ················ /164
村民自治要有活力 ················· /166
农村反腐要抓紧 ·················· /169
大学生村干部带来了新气象 ············· /171
筹资筹劳要一事一议 ················ /175
十七届四中全会精神要落实 ············· /178

后　记 ······························· /184

科学发展观点亮了咱农民的心

——谈谈如何搞好农村深入学习实践科学发展观活动

农村就是不一样了

王支书：张主任，您好！咱们又见面了。欢迎来我们村调研、指导。

张主任：王支书、老李，好久不见了。这几年你们村变化不小啊！你看到处是树，路面也都硬化了，我差点儿都认不出来了。

王支书：张主任，这都是党的政策好啊。

张主任：你说得对！"十一五"规划提出要建设社会主义新农村。十六届五中全会把新农村建设概括为5句话20个字，叫做"生产发展、生活宽裕、乡风文明、村容整洁、管理民主"。这是我们国家在新时期发展农村的重大战略。新农村建设以来，无论是在政策的制定，还是在资金的投入上，国家都加大了向农村倾斜的力度。农村的道路、电网和饮水设施的建设，以及农民使用沼气等方面都有了非常明显的变化。

改革开放以来我国农村基础设施条件大为改善

2008年，我国农村公路里程由1978年的59.6万公里增加到324.4万公里，增长了4.4倍。全国通公路的乡（镇）占全国乡（镇）总数的99.24%，通公路的建制村占全国建制村总数的92.86%。通邮的行政村比例已达98.4%。农村固定电话年末用户达10 881.0万户，是1978年的159.2倍，已通电话的行政村比例达99.7%。

老　李：的确是。建设新农村，国家加大了扶持力度，对农村的政策比以前更好了！咱农民的日子真是芝麻开花节节高啊！

张主任：老李，你家的日子现在怎么样？

老　李：这几年，多亏了国家的政策好，我们一家靠劳动致了富。前年推倒了土坯房，盖了8间大瓦房，宽敞得多了！

王支书：咱村绝大部分农户都像老李这样，通过合法劳动致了富，过上了好日子，盖房子盖楼，村里的土坯房已经基本上看不见了，全村人均住房面积超过了30平方米。

张主任：新农村建设的核心目标之一，就是让农民过上富裕生活，分享改革开放的成果。改善居住条件是农民富裕起来后的必然要求。

王支书：电视、冰箱、洗衣机这些电器如今在咱村已经基本上普及到户。手机、电脑也不新鲜了。"楼上楼下，电灯电话"已经在不少农家变成了现实。

老 李：想想10年前，我家全部电器只有一台黑白电视，现在看的是29英寸的大彩电，电冰箱、洗衣机全用上了。

张主任：最近，国家又推动家电下乡、农机下乡。这是贯彻落实科学发展观、扩大内需的重要举措，让更多的农民享受到了改革开放的成果。

王支书：家电下乡政策在我们村很受欢迎。大伙希望这样的政策能够长期持续下去。

张主任：这点农民朋友们可以放心。国家今后还会出台更多像家电下乡这样的优惠政策鼓励农村消费，农民群众可以用上更多既便宜又实用的产品。

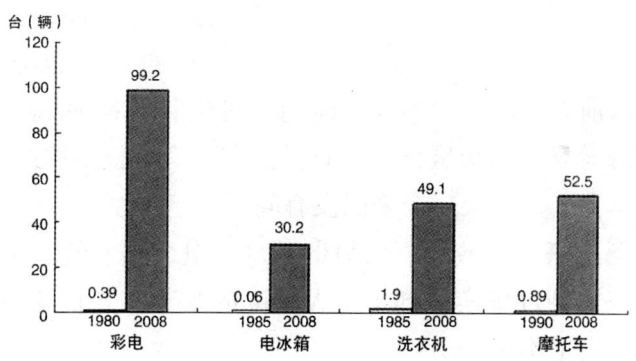

农村居民每百户拥有耐用消费品变动情况

老 李：就拿这穿衣吃饭来说吧，过去一年四季就那么两身衣裳，全家老小的衣裳一个柜子就放下了。现在是冬有冬衣、夏有单衫，光我老婆的衣服差不多也要放一个柜子。过去一个月也吃不上一顿肉，现在是想吃肉了随便

农村居民居住条件变化明显

改革开放以来,农村居民人均住房使用面积由1978年的8.1平方米增加到2008年的32.4平方米,增长3倍。农村居民在住房面积增加的同时,居住条件也有了极大改善。2008年使用水冲式卫生厕所的农户占17.5%,比2000年提高10.5个百分点;使用清洁燃油、燃气、电和沼气等的农户占28.6%,比2000年提高21.2个百分点;饮用自来水的农户占43.2%,比2000年提高15.5个百分点;有42.4%的农户住宅外有水泥或柏油路面,比2004年提高了18.3个百分点。

去买。

王支书:农民消费水平确实比以前高多了。过去村里供销社的东西少,村民买东西都要跑几十里地到县城去。现在咱村已经开办了5家小型超市。村民们可以就近在超市中买到各种生活用品,比以前方便多了。

老 李:自打通了去县城的公路,去城里买东西办事也方便多了。以前去趟城里得半天才能到,现在半个来钟头就到了。以前每天只有两趟班车,有时候办完事晚了就得住在城里。现在车多了,当天打个来回没有问题。

王支书:这些年,农村的"水、电、路、气、房"这几项基本硬件确实得到了很大程度的改善,老百姓的生活水平提高了不少。

张主任:不错不错,你们村的变化确实不小。这也是我们全省农村发展变化的一个缩影。从你们村子的变化就可以看出,新农村建设的政策在这里落到了实处,让农民真正得到了实惠。王支书,咱们村外出务工的人员多吗?

王支书:不少,有将近一半的青壮年劳动力都外出打

农民也有工资性收入

工资性收入在我省农民人均纯收入中的比重逐年提高。1990年为26.4%，2000年为38.1%，2008年，全省农民人均工资性收入为1713.55元，工资性收入占纯收入的比重达41.8%。

工去了。他们每年都往家里捎钱。外出务工收入占到了咱们村农民全部收入的差不多一半。

张主任：好啊！改革开放以来，农民增收的渠道和方法是越来越多。除了从事农业以外，很多农民选择了外出务工，工资性收入成为农民收入的重要组成部分。新农村建设开展3年来，我省累计转移农村富余劳动力120多万人，劳务收入已经成为农民增收的重要渠道。

王支书：另一方面，国家还给农民减免了农业税，出台了补贴农业的各项政策。

张主任：是的。我省于2005年在所有农业县全部免征农业税和附加税，农民实现了基本零负担，比国家全部免征农业税提前了一年。同时，各级财

有了车咱离城里更近了。

政对农民进行直接补贴，补贴资金也不断增加。农民种粮及购买种子、农机都要给补贴。

老　李：我今年年初买种子时就享受到了政府的补贴。听说以后养猪也能领到补贴了？

张主任：目前的直接补贴主要是四项。第一项是对农民种粮进行直接补贴；第二项是对农民购买粮种进行补贴；第三项是对农民购买农机具进行补贴；第四项是农业生产资料价格综合补贴。以后，国家补贴的力度还要继续加大。今年省级财政就要在玉米收购、生猪生产、奶站建设、农机具购置、黄河水价等5个方面追加4.5亿元至5.2亿元补贴，用于支持农业发展。这是咱们省对农民补贴种类最多、规模最大的一年。

老　李：税、费取消减轻了农民的负担，直接补贴让农民得到了实惠。咱农民打心眼里感谢党和政府的好政策啊！

"四减免"和"四补贴"

进入新世纪，特别是党的十六大以来，中央要求把解决好"三农"问题作为全党工作的重中之重，统筹城乡经济社会发展，实行工业反哺农业、城市支持农村和多予、少取、放活的方针，陆续出台了以"四减免"（即取消农业税、屠宰税、牧业税、农业特产税）和"四补贴"（即种粮直接补贴、良种补贴、农机具购置补贴、农业生产资料综合补贴）为主要内容的一系列强农惠农政策。

农村需要解决的问题还有很多

王支书：虽然目前农村发生了巨大变化，老百姓吃饱了、穿暖了，农村环境也改善了，家里的粮食也多了，但是农村发展还存在好多问题啊。比如说农田水利设施还比较落后、城乡发展差距还比较大、农村社会保障体系还不太健全……这些问题直接影响着老百姓生活水平的提高啊！

张主任：你说得很对。对于农村的形势，我们必须清楚两点。一是要充分肯定咱们的成就。新中国成立以来，尤其是十一届三中全会以来，在党的领导下，农村发展取得了巨大成就，农业水平有了明显提高，农村面貌有了巨大变化，农民生活有了显著改善，有许多好的经验值得总结。这一点我们所有的人都有共同的感受。二是要清楚农村存在的问题。中央有三句话，第一句是"农业基础仍然薄弱，最需要加强"；第二句是"农村发展仍然落后，最需要扶持"；第三句是"农民增收仍然困难，最需要加快"。

老　李：中央说得对，问题抓得准啊！

张主任：从农业来看，咱们国家的基本情况是人多地少、基础设施薄弱、技术装备落后。目前人均耕地仅有1.38亩。其中，中低产田就占了三分之二。人均淡水资源只相当于世界平均水平的四分之一，有效灌溉面积仅占耕地总面积的46%。农业耕、种、收综合机械化率仅为41%。这些问题都成了农业发展的重大制约因素。不仅如此，由于气候变化，灾害增多，也直接影响了农业的产量。

王支书：我们这里也有这些问题。农业用地逐年减少，各种病虫害经常发生，旱涝的年份直接影响农业的收成，靠天吃饭的情况没有根本改变。

张主任：从农村来看，虽然改革开放以来发生了巨大变化，特别是十六大以来，在统筹城乡发展上取得了积极进展，但农村发展滞后的状况没有根本改变。总的来说是三个"差距较大"。一是农村的基础设施差距较大。村庄内部的道路、供水、排水、环卫、绿化、公共活动场所等的建设明显落后。二是农村的社会事业差距较大。农村的教育、卫生、文化等社会事业发展水平较低，上学难、看病难、养老难等是农村存在的普遍问题。三是农村的劳动力差距较大。农村有限的耕地被占用，大量青壮劳动力转移到城市打工，种地的年轻人越来越少。现在种地的大部分是四五十岁以上的中老年人了。

王支书：以前，咱们农村是垃圾靠风刮、污水靠蒸发。老百姓也常常说"救护车一响，一头猪白养"。虽然这几年随着国家和省里支农惠农政策的不断出台，农村面貌有了比较大的变化，但咱们农村的生活环境、生产条件和社会保障还比较落后。真的需要加快发展步伐啊。

张主任：从农民来看，改革开放以来，中央出台了一系列支农惠农的政策。尤其是近年来农业税费制度改革后，农民的负担减轻了，腰包比以前鼓起来了，总体上进入了小康水平。但农民增收还有许多问题。据统计，2008年全国农民人均纯收入达到了4761元。但全国31个省、市、自治区中，达到或超过这一平均水平的省区只有12个，有

19个省区的水平都在4761元以下。另一方面,城乡居民收入差距比较明显。占总人口近三分之二的农村居民只购买了不到全国三分之一的消费品,城乡居民消费水平总体上相差10年左右。咱们国家土地资源比较少,农村生产方式还比较落后,农民收入增加还有许多困难。

王支书:张主任说得对!我们必须想办法、下工夫加快农村的发展,提高农民的收入。

科学发展观是咱的指路明灯

张主任:解决好"三农"问题是我们国家的大事情。中央明确指出,改变农村的落后面貌、建设社会主义新农村,必须贯彻落实科学发展观。科学发展观是建设社会主义新农村的根本指针。

老 李:老话说,"吃不穷、穿不穷,思路不对一辈子穷"。农村落后不可怕,关键是要有一个好办法。

张主任:对!在十六届三中全会上,中央提出了科学发展观。这是对党的三代中央领导集体关于发展的重要思想的继承和发展,是马克思主义关于发展的世界观和方法论的集中体现,是同马克思列宁主义、毛泽东思想、邓小平理论和"三个代表"重要思想既一脉相承又与时俱进的科学理论,是我国经济社会发展的重要指导方针,是发展中国特色社会主义必须坚持和贯彻的重大战略思想。

老 李:科学发展观我们也常说。张主任你给咱结合农村的事情好好解释解释。

张主任：十七大报告中讲过，科学发展观，第一要义是发展，核心是以人为本，基本要求是全面协调可持续，根本方法是统筹兼顾。这四句话是科学发展观的主要内容。

老　李：第一要义是发展。

张主任：对！发展才是硬道理。不发展啥也不用说。我们国家仍然处于社会主义初级阶段。社会主义初级阶段的基本特点就是不发达，农村最突出的问题也是不发达。刚才我们说了半天，"三农"问题也好，三个差距较大也好，农民增收难也好，归结起来就是一个问题：农村不发达。所以我们必须把发展作为首要任务。农村发展了，经济富裕了，社会事业什么的就好办了。

老　李：老百姓也就能过上好日子了。

张主任：对！科学发展观的第一句话就是"第一要义是发展"。发展的根本目的就是要让老百姓过上好日子。所以，科学发展观的第二句话说的就是"核心是以人为本"。理解这句话，要从两方面说。一方面是说，发展是为了老百姓；另一方面是说，发展要依靠老百姓。发展了半天，老百姓没有得到实惠，生活没有得到改善，这不行。同时，人民群众是历史的创造者，是建设社会主义事业的主人公。发展要靠我们自己，要充分发挥大家的积极性、主动性、创造性。我们不能等别人发展好了自己去享受。从农村来说，少数人富了，大部分人穷，不能说是发展了，要看是不是广大农民群众都得到实惠了，基本权益都实现了。农村要发展，得靠我们大家，每一个人都要努力。不能等天上掉馅饼，不能只靠国家救助，不能只会伸手要，必须靠我们自己去干。光干还不行，还要会干、干好。

老　李：怎么才算会干和干好？

张主任：会干和干好说的就是科学发展观的后两句话。基本要求是全面协调可持续，这是第三句话。全面协调就是说不能片面发展。有的地方经济上来了，环境破坏了，绿水青山，变成荒山秃岭，好地盖了房，好水流了汤，你欺我诈、各顾各，既损人又不利己，这都不行。科学发展观就是要求我们经济要上去，社会保障、乡风文明、村民素质、村务管理等等也都要搞好，方方面面都要发展，方方面面都要互相促进，共同发展。

老　李：那"可持续"怎么理解？

张主任：科学发展观要求要做到"可持续发展"，就是说，不能只顾今天发展，不管明天能不能发展。我们既要吃着碗里的，看好不好；还要看着锅里的，看够不够；也得想着仓里的，看有没有。有的地方，现在是发展了，但过了一段又不行了，这就是不能可持续发展。还有的是自己发展了，把儿孙后代的事丢了。比如有的人为了盖房把村里的好地都占完了，以后的人靠什么活？咱农民到哪儿去种地？有的地方，开个小煤窑，把地下的资源破坏了，环境也污染了，地下水流失了，让子孙后代以后怎么办？

老　李：咱可不能做这种断子孙路的事。

张主任：更多的是产业结构不合理，发展了许多将要淘汰的东西，没有长久的市场竞争力。环境一变化，就不行了。

王支书：张主任你说的这些还真是个问题。我们村这几年虽然有了些变化，但就是你说的，产业结构有问题。现在省里搞煤炭资源整合和企业兼并重组，村里的小煤窑也不能开了。下一步还真得想些好办法。张主任你给说说。

张主任：省里的决策就是要推动全省发展方式的转型，让全省的可持续发展能力增强。你看国际金融危机一来，咱省受的冲击非常大。一个重要的原因就是产业结构不合理，缺乏良好的市场竞争力。要全面协调可持续发展，就必须靠人才、靠市场、靠技术、靠文化，不能这儿刨刨、那儿挖挖。靠人才，就是要有懂技术、懂市场、能经营、会管理的人。靠市场就是要转变观念，了解市场上需要什么、我们能发展什么。靠技术就是要提高我们产品的市场竞争力，不断创新。靠文化就是要提高村民的文化素质，不断开阔眼界，多出好点子，多出好主意。这是科学发展观的第三句话。

老　李：那你再给咱说说第四句话。

张主任：第四句话就叫，根本方法是统筹兼顾。要想全面协调可持续发展，就必须坚持统筹兼顾这个根本方法。从我们农村来看，主要是要领会统筹兼顾的思想。比如，既要经济发展，也要兼顾社会保障、精神文明、基层民主；既要让人过上好日子，也得保护好自然环境，美化我们的农村；既要个人住好房，家里吃穿不愁，干干净净，也要整治好村容村貌，搞好社会治安，搞好邻里关系。简单说，就是中央要求的，要做到生产发展、生活宽裕、乡风文明、村容整洁、管理民主。

王支书：张主任，你这一番话说得我感到担子更重了。

过去咱是做了些事，村里也有了些变化，但与科学发展观的要求一对照，还差了许多。

张主任：是啊，近年来，好多农村都在科学发展观的指导下变了模样，把以前的穷山沟变成了富裕文明的新农村。比如晋城市的泽州县就是这样。这几年，他们坚持以科学发展观为指导，到2008年底已经连续3年被评为省、市新农村建设先进县，全县农民人均纯收入超过了5500元，高于全国的平均水平。全县632个行政村中，几乎全部通了水泥路，安全饮水覆盖率近80%，自来水入户率达到82%以上，绿化率达到42%以上，森林覆盖率超过了30%。泽州县在全省率先建立新型农村合作医疗制度，农村最低生活保障线达到1320元，农村"五保户"供养标准提高到2100元。

老 李：张主任，听了你这一番话，感到科学发展观点亮了咱农民的心啊！

农村开展学习实践活动真是太有必要了

王支书：中央决定开展第三批深入学习实践科学发展观活动，农村党员全部参加。我感到真是太有必要了。

张主任：农村党员和农村党支部，处于改革、发展、稳定的第一线，是把党的路线、方针、政策落实到基层最重要的环节，担负着团结带领基层群众推动科学发展、促进社会和谐的重要职责。因此，在农村党员中开展学习实践活动，意义重大。

王支书：这次学习实践活动有些什么具体要求呢？

张主任："党员干部受教育、科学发展上水平、人民群众得实惠"是开展学习实践活动的总要求。第一句话，"党员干部受教育"，就是要通过学习实践活动，进一步增强党员干部贯彻落实科学发展观的自觉性和坚定性，转变那些不适应、不符合科学发展观要求的思想和观念，提高领导农村科学发展、促进社会和谐的能力。

王支书：我感到在这方面，确实需要努力。

张主任：第二句话，"科学发展上水平"，就是要努力解决影响和制约科学发展的突出问题以及党员干部党性、党风、党纪方面群众反映强烈的突出问题。要针对存在的问题，加强制度建设，构建有利于科学发展的体制机制，把全社会的发展积极性进一步引导到科学发展上来，把科学发展观贯彻落实到经济社会发展的各个方面。

王支书：我理解，就是要通过制度建设保障科学发展观落到实处，提高科学发展的水平和成效。

张主任：你说得对。第三句话，"人民群众得实惠"，就是要把开展学习实践活动的过程转化为解决群众生产生活存在问题的过程，让人民群众得到更多的实实在在的利益。

王支书：在学习实践活动中需要把握好什么问题呢？

张主任：主要是三个方面。一是要掌握好指导原则，就是要"坚持解放思想、突出实践特色、贯彻群众路线、正面教育为主"。二是要实现具体目标，就是要"提高思想认识、解决突出问题、加强基层组织、促进科学发展"。三是要突出"五个更加注重"的要求，使学习实践活动的具体内容、方式、载体和措施更有针对性。

老李：哪五个？

张主任：一是要更加注重取得实效的要求，突出实践特色、解决突出问题，不能走过场、走形式；二是要更加注重简便易行的要求，要贴近基层实际、贴近党员群众；三是要更加注重分类指导的要求，要因地制宜、区别对待，不搞"一刀切"；四是要更加注重强化基层的要求，在加强基层组织建设上下工夫；五是要更加注重统筹协调的要求，各级党委要高度重视，上级党委和基层党组织、领导干部和普通党员都要重视、支持、参加，使学习实践活动上下联动、整体推进。

王支书：这次学习实践活动应该如何开展呢？具体的做法是什么啊？

张主任：主要是要抓好三个阶段的六项工作。第一个阶段是学习调研阶段，要重点抓好学习讨论、调研走访两项工作；第二个阶段是分析检查阶段，要重点抓好召开专题民主生活会和专题组织生活会、进行分析检查两项工作；第三个阶段是整改落实阶段，要在找准突出问题的基础上抓好制订整改落实方案、解决突出问题两项工作，进一步完善规章制度，形成促进科学发展的长效机制。

王支书：看来在农村党员中开展学习实践活动真是太有必要了。我们一定要明确责任，把学习实践活动与当前工作紧密结合起来，做到两手抓、两不误、两促进。

科学发展观首先要发展,关键是怎样发展

老　李:前几年,咱们村也弄了小煤矿、小砖厂,老百姓的兜里也有了钱。可是山也秃了、水也脏了、鸟也飞走了。张主任,你说这个问题怎么办?

张主任:一句话,关键是要落实好科学发展观。农村要落实好科学发展观,首先要解决好怎么发展的问题。我觉得农村的发展不能走传统农业的老路,要大力发展现代农业。以前我们种地主要是一家一户自己种自己收自己吃,种的东西也主要是粮食,基本靠人力和畜力。这就是传统农业。发展现代农业,就要逐步改变农村一家一户的经营模式,推进农业的规模化经营。实现农业的规模化经营主要有两点。一是允许农民以转包、出租、互换、转让、股份合作等形式把土地集中在种田大户手里,实现土地的规模化经营;二是把农产品集中在专业合作社和农业公司手里,实现农产品的规模化经营。农业的规模化经营能有效发挥土地、资金和人力的效应,增加农民收入。与此同时,还要发展农产品精深加工业,延伸农产品产品链和农业产业链,创新农业科技和推广先进技术,改善农业种植结构,推广科技种田,提高农业劳动效率,提高土地生产率。

老　李:听了张主任的话我明白了。我们一家一户的传统经营模式目前的确遇到了困难。自己只管自己东一片西一片地种,一些科技种田的好办法也不好推行。这几年农产品市场变化大,单个农户不知道该种什么,收回粮食来也不知道该往哪里卖。走现代农业的路子是个好事情。那么,农村的科学发展还有什么其他要做的事呢?

张主任:从当前农村发展的现状来看,我想还有以下几个方面。第一个是要促进农村经济、社会、文化、政治、环境的全面协调发展。农村发展不仅仅是经济发展,建设社会主义新农村也不仅仅是经济建设,而应该是经济建设、政治建设、文化建设、社会建设、生态文明建设和党的建设的协调统一。第二个是要实现农村的可持续发展。既要满足现代人的需求,也

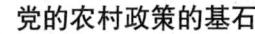

党的农村政策的基石

党的十七届三中全会指出,以家庭承包经营制为基础、统分结合的双层经营体制,是适应社会主义市场经济体制、符合农业生产特点的农村基本经营制度,是党的农村政策的基石,必须毫不动摇地坚持。要赋予农民更加充分而有保障的土地承包经营权,现有土地承包关系要保持稳定并长久不变。要加快农业经营方式转变,家庭经营要向采用先进科技和生产手段的方向转变,统一经营要向发展农户联合与合作转变。

不能损害后代人的发展。既要达到发展经济的目的,又要保护好人类赖以生存的大气、淡水、海洋、土地和森林等自然资源和环境,使子孙后代能够永续发展、安居乐业。第三个要求就是要实现农村社会安定,农民安居乐业。家和万事兴,村和才能促发展。

老 李:我们以前只看兜里的钱、碗里的饭,很少去想怎样才能更好地提高粮食的产出,怎样才能把粮食卖个好价钱。有的人根本不管把煤挖完了、把树砍完了子孙后

代吃什么,更不管大家富了以后该做什么,真是忽视科学吃苦头、盲目发展不对头啊!

王支书:我听说,大同市阳高县罗文皂村落实科学发展观做得不错。一方面他们改善农业基础设施,2002年以来,全村新打机井16眼,水浇地面积达到7000多亩,耕地全部变成水浇地,成为阳高县水利设施建设的标兵村。另一方面,他们大力发展商贸养殖业。发挥紧靠京包线、张同公路的优势,建起了农贸市场,成为农副产品的集散地,拉动了就业,每年可带动市场农户创收1000多万元。同时,全村农户养猪12 600头、奶牛570头,新建了奶牛养殖园区2个、奶站1处。去年又新建纯净水厂,解决了农村剩余劳动力的就业问题,带动和促进了农村一、二、三产业的发展,成为全县新农村建设中的一面旗帜。

张主任:所以说,贯彻落实好科学发展观,首先是要发展,关键是怎样发展。

以人为本就要把农民的利益作为出发点

老 李:科学发展观的核心是以人为本。但是,在农村,怎么体现以人为本?这一点我还不大明白。

张主任:以人为本的"人",是指最广大人民群众。我们国家,就是以工人、农民、知识分子等劳动者为主体,包括社会各阶层在内的最广大人民群众。以人为本的"本",就是根本,就是出发点、落脚点。坚持以人为本,就是坚持发展为了人民、发展依靠人民、发展成果由人民共享，不断实现好、维护好、发展好最广大人民群众的根本利益。在农村，农民是农村的主人，是建设社会主义新农村的主体，以人为本就是要从维护农民的根本利益入手，把农民的利益作为农村工作的出发点和落脚点，不断改善农业生产条件，改善农民生活条件，加强农村公共服务，保障农民根本权益，说白了，就是一切以农民的利益为出发点，办什么事、怎么办都要围绕广大农民的利益来谋划，最终做到发展为了农民、发展依靠农民、发展成果由全体农民共享。

王支书：前几天，我看到一个关于朔州市农村坚持以人为本的资料。这几年，朔州市从农民利益出发，在解决农村问题方面做了一些事情。头一件事就是他们加大力度支持农业生产发展，为农民持续增收提供保障。第二件事就是为农村办好事、办实事，逐步缩小城乡差距。近几年来，共投资近3亿元，造林70多万亩。2007年就新建公路1000多公里，所有建制村全部通上公路，92%的村通上客运班车。96%的新农村试点村和重点推进村建起文化科技活动室、农民健身场所、卫生所、标准化小学、便民超市和农家连锁店。第三件事是加强农村社会保障。2008

年，新型农村合作医疗全部覆盖，低收入户全部享受低保。市、县两级财政还每年拿出近5000万元资金，建立了65岁以上所有农村居民每人每月30元的最低生活补贴制度，使12万农村老人能够安度晚年。

老 李：这就明白了。前一阵子，政府让咱农民参加社会养老保险，就是让咱农民也能像城里人一样每月领到养老金。过去是养儿防老，现在是政府出政策给我们养老。这就是以农民为本啊！

王支书：是啊！我算了一笔账。我哥今年53岁了，像他这个年龄的，今年缴180元，就能享受到政府120元的缴费补助。7年后，每月都可以领到养老金。国家的这个政策就是实实在在地以农民为本。

张主任：理解这个问题，我看要抓住三点。一是发展为了什么？以人为本就是说发展要为了人民群众，凡是违背人民群众意愿、损害人民群众利益的事，我们就不能做。二是发展要依靠什么？从党和政府的角度来看，发展就是要依靠人民群众，只有激发起人民群众的主动性、创造性，我们的事业才能进步。从农村来说，农民群众必须奋发努力，把自己家的事办好，把自己村的事办好。第三是发展的成果是谁的？它是广大人民群众的，不是某一些人或某一类人的。所以中央说，发展成果要由人民群众来共享。国家的政策，比如实行养老保险也好，改善基础设施也好，都是为了广大农民群众能够享受改革发展给大家带来的好处，实现大家的利益，所以说，科学发展的核心是以人为本。

发展不能只管今天，不顾明天

老 李：年轻时候经常唱一首歌："人说山西好风光，地肥水美五谷香。"可是这几年，有的地方是地也不肥了、水也减少了。前几天，我还听说有个村子很多人家里的墙上出现了裂缝，而且越来越大。地里也出现裂缝，连吃水都成了问题。他们全村准备搬迁到另外一个地方去。

张主任：这就是没有处理好发展与环境、现在与将来的关系。由于忽视了可持续发展的原则，导致近年来我国农村出现了森林面积减少、土地沙化、水土流失严重等等一系列问题。从当前来看，我省农村发展面临这样几个比较突出的问题：一是资源浪费的问题。主要是很多小煤矿长期粗放式开采，资源回采率偏低、开采技术落后，以及私挖乱采造成了资源浪费。二是环境污染的问题。主要是水环境污染、大气环境污染、固体废弃物污染。三是生态破坏的问题。主要表现

（村里的小砖场生产的挺好，干嘛还要技术改造？）

（咱要加强环保，不能富了老子忘了儿。）

在土地荒漠化发展迅速、森林植被破坏严重。所以，我们不仅要追求发展的速度，还必须实现发展的可持续性。

王支书：只顾眼前、不顾将来，只重利益、不重效益造成的后果，不仅影响当代人的生存，也会影响子孙后代的延续和发展。

老李：张主任说的这些问题我们这里也有。那如何实现农村的可持续发展呢？

张主任：对于我们山西的农村来说，实现可持续发展有几个方面必须处理好。首先，矿产资源开采必须遵循可持续的原则。我省目前的采空区面积约5000多平方公里，已经成为矿山地质灾害的重灾区。煤炭的多年开采还造成了地下水资源的渐趋枯竭。其次，必须加强农业生态保护。我们山西地处黄土高原，气候干燥，植被覆盖率低，而且水土流失较为严重。再加上毁林开荒、毁草种地等过度农耕行为，对农业的可持续发展提出了严峻的挑战。因此，必须大力发展循环农业、生态农业。还应控制农业面源污染，鼓励农民使用农家肥和新型有机肥。第三，必须合理利用资源，保护耕地。耕地是农民的命根子，是农民最基本的生产资料和生活保障。因此，要实行最严格的耕地保护制度，加强对各类项目用地和农村宅基地等建设用地的管理。

王支书：看来，坚持可持续发展很重要。今后，我们村在注重经济建设的同时，也要充分考虑资源和环境的承受能力。既要重视经济发展，也要搞好环境保护；既要考虑当前的发展，还要考虑未来的发展；既要满足人民群众的物质需要，还要满足人民群众的文化需要，为子孙后代留下充足的发展条件和发展空间，不断创新农业生产发展方式。

治国安邦先要吃好饭

老　李：老话说：民以食为天。不管在哪个朝代、不管什么时候，吃饭问题都是排在第一位的问题。

王支书：是啊！手里有粮，心中不慌。吃饭没有保障，一切都无从谈起。对于我们这个有13亿人口的大国来说，解决吃饭问题始终是头等大事。

张主任：解决老百姓的吃饭问题有两条途径。一条是主要依靠进口国外的粮食，一条就是依靠自己国内的生产。如果粮食主要依靠进口，就把自己的命运交给了别人。先不说世界上总共能生产出多少粮食，假如有人想用粮食问题卡我们的脖子，我们的日子就不会好过。如果粮食出了问题，任何国家也帮不了我们。把希望寄托在进口粮食上是很危险的，也是不现实的。所以，我们必须坚持立足于国内实现粮食基本自给的方针，解决吃饭的问题主要依靠国内粮食的供给。

王支书：但是在一些地方农民种粮的积极性有所下降，有些地方还出现了荒地。面对这种局面，我们该怎么做呢？

张主任：我国人口众多，粮食需求总量增长较快，而受土地条件、自然灾害和气候变化影响加深等因素制约，使得扩大粮食供给的难度加大。针对这种情况，国家进一步加大了对农业的支持保护力度，大幅度增加对种粮农民的各项补贴。对"三农"的补贴不但要加大，还要及时；对粮食的直补、粮种的补贴、农机具购置的补贴、农资综合的直补等"四补贴"也不断扩大。另外，提高重点粮食品种最低收购价水平，落实和完善扶持油料、奶业等方面发展的政策措施，大力推广优良品种和先进适用技术，加强农业农村基础设施建设。这些措施对促进农业增产和农民增收有很大的作用。

王支书：是啊！中央反复强调，农业、农村、农民问题不仅是重大的经济问题，而且是重大的政治问题。解决好十几亿人口的吃饭问题，是治国安邦的头等大事。

农村更需要转型、安全、和谐

老 李：省委在学习实践科学发展观的活动中提出了"转型发展、安全发展、和谐发展"这"三个发展"。我最近在报纸上看到很多文章，都讲得很好。但是我觉得"三个发展"主要是关于城市、工业如何发展的问题，与农村、农业发展好像关系不大。

张主任：老李，看来你理解得还不够全面。"三个发展"不仅仅是针对城市发展提出的，它是针对全省发展提出来的，当然包括农村。其实，农村发展更需要转型、安全、和谐。转型发展对农村而言，就是要积极推进传统农业向现代农业转型，用现代科学技术改造农业，用现代产业体系提升农业，提高农业水利化、机械化和信息化水平，提高土地产出率、资源利用率、劳动生产率，增强农业的抗风险能力。对山西欠发达地区的农村来说，更需要实现转型发展。近几年，有些农村靠资源富起来了，但资源总有枯竭的一天，而且资源的开采对农村生态环境的污染和破坏非常严重，因此，农村要实现可持续发展，不转型不行，非转型不可。

老 李：那如何实现转型呢？

张主任：各地农村可以根据自身的特点和实际进行。可以利用各类农业资源，发展"一村一品"特色经济，发展绿色农业、休闲农业、特色农业、旅游农业、生态农业等多种新型农业形态，如"沁州黄"小米、晋城的皇城相府旅游区的开发，等等。也可以多渠道地发展各种农业龙头产业、乡镇企业。如吕梁汾阳的汾州香米业有限公司采取"公司＋农户"的办法，使"汾州香"小米走向全国，远销海外。到2008年，他们已在汾阳边山丘陵地带建成优质谷子生产基地1.2万亩，直接带动农户4000户，间接带动农户1万户，年增加农民收入540万元。

王支书：张主任说得对。转型发展是农业发展的趋势。无论是资源型村镇还是农业型村镇都必须走这条路子。农村只有实现转型发展，才能提高土地的产出效益，实现可持续发展，使农民的收入持续稳定增长。

老 李：安全发展对于农村来说有什么意义呢？

张主任：不少人可能把安全发展的关注点主要放在煤矿、放在工业上了。其实其他方面的安全问题也非常突出。

比如食品安全问题、住房建设中的安全问题、公共卫生安全问题等。2006年全国各地上报的各类中小学校园安全事故中，大部分发生在农村。农村中小学的安全事故发生数、死亡人数和受伤人数都明显高于城市。特别是农村的安全预防和应急处置能力非常低，很多小问题都可能危及人的生命安全。比如农村发生火灾很难及时扑灭，遇到暴风雨、山体滑坡、泥石流等自然灾害，也会发生人生伤亡。还有，这些年，农民买机动车辆多了，有些人技术差、胆子大，成了交通事故的肇事者。对农村来说，更应该高度关注安全问题。

王支书：近年来一些不法分子将黑手伸向了农村，耕牛、羊只、摩托车等都成为他们的作案目标，饮水安全、食品药品、道路交通、森林火灾等各种影响农村安全的问题也经常见到。农村的安全形势还是比较严峻的。张主任，你给说说农村怎样才能实现安全发展呢？

张主任：实现农村的安全发展一定要加强农村社会治安综合治理。一方面要开展农村治安问题的排查整治，依法打击各种犯罪现象和社会丑恶现象，清除黑恶势力；另一方面要严厉打击盗窃、破坏农业生产、生活资料的犯罪活动，打击坑农害农犯罪。同时，要加强农村集镇治安防范工作，建立健全农村应急管理机制，提高应急处置能力。

老 李：有句老话说：大家一条心，黄土变成金。安全发展、和谐发展的重要性我们都明白。但是现在农村不和谐的事情也不少，干部与群众之间、群众与群众之间发生矛盾的现象还存在，怎么做才能实现和谐发展呢？

张主任：和谐发展是农村实现科学发展的目标之一。和谐发展，就是要正确处理各种社会矛盾，及时协调各方面利益关系，理顺群众思想情绪，积极为群众排忧解难，实现各方面事业的有机统一、社会成员团结和谐。农村要实现和谐发展，首先，要统筹城乡发展，缩小农民与城镇居民之间的差距。同时，要改善农村生产生活条件。另外，还要完善农村社会管理体制。要及时化解和处理各类矛盾，坚决纠正损害群众利益的行为。特别要落实农村矛盾纠纷排查化解责任制，高度重视和解决农村因干群关系、土地承包、土地征用、环境污染、移民搬迁、集体资产处置、村务公开、邻里纠纷和宗族问题等可能引发的矛盾纠纷，依法保护农民的合法权益，切实解决农民最关心、最直接、最现实的利益问题，预防和减少矛盾的发生。

王支书：对啊，转型发展、安全发展、和谐发展事关农业、农村、农民的根本。农村也必须按照"三个发展"的要求发展才有出路。

农村要发展就必须抓紧转型

——谈谈建立完善的现代农业产业体系

转型首先要转观念

王支书：张主任，村里的小煤窑面临整合关闭，转型发展势在必行、迫在眉睫。但是，转到哪里去？怎么个转法？我心里还没有谱啊！

张主任：转型发展确实是眼下最重要的事情。农村经济要转型就要发展现代农业。按照高产、优质、高效、生态、安全的要求，加快转变农业发展方式，推进农业科技进步和创新，全面提升农业综合生产能力。

王支书：什么才是"现代农业"，跟传统农业有什么不一样的？

张主任：其实啊，很好理解，我跟你们好好说道说道。首先，现代农业是一种"大农业"。它不仅包括咱们平常所说的种植业、林业、畜牧业等传统农业，还包括产前的农业机械、农药、化肥、水利和地膜，产后的加工、储藏、运输、营销以及进出口贸易等，实际上贯穿了产前、产中、产后三个领域，成为一个与发展农业相关、为发展农业服务的庞大产业群体。以前咱们一般只重视种植这个环节，也就是产中，对于产前和产后这两个环节没有加以足够重视。

老　李：咱以前只顾种地，没想这么多。

张主任：传统农业主要依赖资源的投入，现代农业靠的是市场和高科技。它越来越依靠不断发展的新技术，比如说生物技术、信息技术、耕作技术、节水灌溉技术等。

王支书：科学技术是第一生产力。不依靠科学技术，要想转型确实不容易。

张主任：现代农业闯的是大市场。它与传统农业以自给为主的取向和相对封闭的环境不同。现代农业的大部分经济活动被纳入市场交易之中，农产品的商品率很高，生产主要不是为了自己家庭的需要，而是为了满足市场的需求，具有高度的规模化、产业化和市场化。

老　李：是啊。现在咱们种地，得先看看市场上需要什么，不知道市场上需要啥，瞎种，往往不好卖，更卖不上好价钱，赚不了钱不说还得亏本。

张主任：现代农业搞的是多功能发展。随着经济的发展和人们生活水平的提高，现代农业已经不仅仅局限于传统农业的农产品供给功能，其广度和深度也大大增加了。比如，通过农业产业链的延伸，农业对农村劳动力的吸纳功能和就业增收功能明显增强；通过开发利用各类农业资源，发展"一村一品"的特色经济，农业开始承担起生活休闲、生态保护、旅游度假、文化传承、教育等功能，由此也形成了生态保护农业、休闲观光农业、循环农业、服务型农业等多种新型农业形态。

王支书：张主任，给举点例子。

张主任：前面咱们说过的晋城市泽州县就很典型。我看报纸上说他们，过去是一座煤矿加一个好党支部，等于一个小康村；现在是一个新产业加一条好思路，等于一个新农村。比如他们的西张村，过去就靠一座煤矿。但是为求发展，他们积极寻找替代产业，组建了金工汽车配件公司，年产值4个亿。煤矿现在虽然被关闭了，但经济却没有受影响。为了发展农村的新兴产业，泽州县实施"百千万工程"，就是每年培育100个创业带头人，带动创业户1000户，新增就业1万人。全县上下形成了"能人搞企业，带动百姓创业"的局面。开发了山楂、小杂粮、豆制品等公司化、规模化种植、生产、销售的产业模式。过去1公斤小米最多卖2块钱，现在卖给公司能卖6块钱。去年全县农民人均纯收入是5500多元。还有太原市的万柏林区，努力贯彻落实科学发展观，推动转型发展，开始了从

"黑、笨、粗"到"精、绿、细"的飞跃,搬掉了矸石山,建设生态园,治理沉陷区,造福老百姓,发生了很大的变化。

王支书:还有一件事张主任你看行不行。我在报纸上看到,广灵县的剪纸在宁夏的国际文化旅游博览会上和有关的旅游部门签订了800多万元的合同意向。他们带到宁夏的600多件新产品销售一空。特别是为国庆献礼制作的"山西八大文化品牌"大受欢迎。看来这市场还是很大的。我琢磨办个特色文化产品的专业合作社,把这一带会剪纸的、会做木雕的、会绣花的等等都组织起来,应该效益不错。

张主任:咱山西文化资源丰富。各种文化遗产真是太多了。特别是在农村,能工巧匠很多,民间艺术非常有特色。如果能够把它们转化为产品,发展的空间肯定是很大的。为了推动农村转型,省里最近制定了做大做强农产品加工龙头企业的意见,决定除了支持发展大型农产品加工企业外,还要扶持县乡有潜力的中小企业。你们要抓住机遇,赶紧转型啊!

老 李:看来转型发展首先要换换脑筋,拓宽思路。这真是"观念不变原地转,观念一变天地宽"。

农、林、牧、副、渔,工、商、游、购、娱,都是咱农民的钱袋子

张主任:老李,你现在每年的收入有多少?
老 李:我们全家5口人,每年能挣3万多块钱吧。

张主任：人均 6000 多元，这在农村应该算是不错的收入了。

王支书：是的。现在咱村的年人均纯收入基本在 4500 元左右，在县里属于中上等水平。老李依靠种植经济作物和养鸡提高了收入，在咱村也算是偏上的水平了。

张主任：改革开放以来，我省农村经济快速发展，农民的生产生活水平发生了翻天覆地的变化。1978 年，我省农民人均纯收入还在百元左右徘徊。改革开放之后，农民人均纯收入进入快速增长的时期。2008 年我省农民人均纯收入已经达到了 4097.24 元，比 1978 年增长近 40 倍。

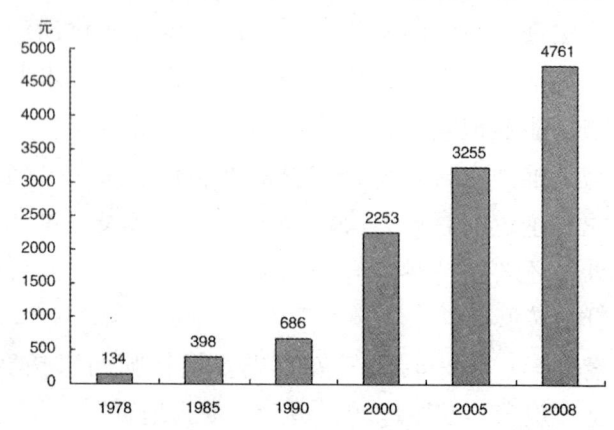

1978 年—2008 年我国农村居民人均纯收入增长情况

老　李：咱村像我这样的可不少呢！现在国家政策好，只要脑子活点儿，肯出力就能挣到钱。

王支书：老李说得不错。咱们村里的能人现在是越来越多。有的搞养殖发了家，有的成了种粮大户，还有的搞起了小厂子，开展粮食加工。

张主任：人多地少是我国的基本国情，也是我省的基本省情。农民要想致富，就要提高生产效率。提高农业生产效率最管用的办法就是发展现代农业。新农村建设3年来，我省把发展现代农业作为新农村建设的首要任务，持续推进雁门关生态畜牧经济区、中南部无公害果菜经济区、东西两山干果杂粮经济区建设，启动实施了玉米丰产增粮、规模健康养殖、高效园艺建设、农产品加工增值"四大工程"，规划建设了一批优势农产品产业区、产业带和示范基地县，初步形成了"粮经牧加"协调发展的现代农业产业体系。2008年，全省农、林、牧、渔业总产值达596亿元，比2005年增长23%。农民组织化程度进一步提高，目前，全省农民专业合作社发展到1万多家，居全国第一。

王支书：咱们村里有不少农户靠种植经济作物致了富，但是，还没有形成规模，还都是小打小闹。我听说，咱们省忻州市忻府区高城村在这方面做得不错。

张主任：是的。高城村以辣椒为主导产业，种植面积6000多亩。2008年仅辣椒一项就为农民人均增收2600元，已经成了名副其实的专业村。现在，高城村

还建起了自己的辣椒脱水加工厂，进一步提高农产品的附加值。在高城村的带动下，周边16个村已经种植辣椒2万多亩，形成了规模效应，提升了产品的知名度。

王支书：他们的经验很值得学习。我觉得要想让农民富起来，除了搞现代农业，提高农业生产率以外，还要发展工业、服务业，全方位拓展农民的增收渠道。我听说大同市南郊区杨家窑村靠办企业让村民过上了好日子，如今村民人均收入近2万元。

张主任：王支书很有想法嘛。你说的杨家窑村是我省农村以工促农的典型代表。他们依托塔山煤矿的就近资源组建了卧龙岗运输公司、煤矸石陶瓷有限公司，还有蝴蝶兰基地等，村委会采取村民入股的方式让村民有了活干，村民有了稳定的收入。

王支书：他们搞得确实不错！咱村下一步也计划招商引资，搞上几个好企业，让大家的收入再上一个新台阶。

张主任：你这个想法很好。但农村在发展工业经济时一定要立足本地实际，根据资源禀赋因地制宜谋发展，不能盲目照搬其他地方的经验。新农村建设中产业发展的一个重要模式就是一村专一品，一村带多村，目前，我省5098个新农村建设试点村和重点推进村已基本确立了主导产业。你们村也要加紧研究制定符合村情的产业发展规划。

王支书："要挣票子，选准路子。"这挣钱的路子靠"拍脑门"是想不出来的，还得有个道道。怎样才能找准发展方向，让全村人过上富裕生活？

张主任：俗话说，"五里不同风，十里不同俗"。不同的地方、不同的条件，改革的基础、发展的水平都不一样，所以各个地方的主导产业也应该是不同的。每个地方都有自己的比较优势。比如有的地方土地肥沃，有的地方区位优势明显，有的地方经商传统悠久，有的地方人文底蕴深厚。我们要做的就是认清自身的优势所在，明确自己的产业定位，把比较优势转变为产业优势，把产业优势转变为经济优势，加快培育出主导产业，一步一步将产业规模做得更大，产业链条拉得更长，发展得更具特色。不管是农、林、牧、副、渔，还是工、商、游、购、娱，只要是适合当地实际的，都可以大力发展。

老　李：张主任，你见识广，有没有什么好的例子给我们介绍介绍？

张主任：这方面成功的例子还真不少。太原市尖草坪区横渠村把自己做灯笼的传统手艺活做成了增收致富的一项主导产业，成了远近闻名的"灯笼村"。横渠村以前做灯笼都是小打小闹，近些年随着城乡文化生活水平的提高，每年春节、元宵节，全省各地都需要大量的灯笼。横渠人抓住这一商机，做起了灯笼生意。现在全村家家做花灯，好多村民

"要挣票子，选准路子。"俺们村靠做花灯致了富。

还从传统的家庭作坊中走出来,开办了自己的花灯公司。如今,该村生产的牛灯、龙灯、福灯、工艺灯等10大类200多个品种深受市场欢迎,花灯销售供不应求。

王支书:我还去这个村买过花灯呢。现在人家发展的规模挺大,产品不但销往全国各地,一些工艺灯还出口到日本、美国。这个村的经验对我们村的发展确实很有启发。

老 李:我听人说有个"三晋韭菜第一村",一开始个叫孙海奎的种植韭菜挣了钱。后来村里种韭菜的人越来越多,最后发展到全村户户种韭菜。人家就靠种韭菜发了家,听说现在人均收入上万元呢。

张主任:确实有这么个村,就是运城市盐湖区刘庄村,我去那里调研过。现在,他们采用高效低残留农药,生产无公害韭菜,还被省农业厅和农业部认定为无公害蔬菜生产基地,在产品或产品包装标志上使用无公害农产品标志。不仅如此,他们还在国家工商总局注册了"涑水牌"韭菜专用商标,创了品牌。这样,韭菜的价格和销路就更好了。仅去年一年,他们的蔬菜批发市场就销售了7000万元的韭菜和韭花。韭菜产业还

不能只管自家够吃,咱还要去闯市场。

山西着力构建现代农业产业体系

中共山西省委贯彻落实《中共中央关于推进农村改革发展若干重大问题的决定》的实施意见明确指出，要推进农业结构战略性调整，构建现代农业产业体系。以保障粮食安全、主要农产品有效供给和增加农民收入为目标，以市场需求为导向，按照"重视粮食、做强畜牧、提高果菜、发展加工"的思路，继续推进雁门关生态畜牧经济区、中南部无公害果菜产业区、东西两山干果杂粮产业区建设，形成粮、经、牧、加协调发展的现代农业产业体系。

促进了周边村的劳务输出。该村平均年支付外来劳务工资就达300多万元，同时还推动了蔬菜批发市场建设，催生了蔬菜经纪人、韭花业、农资供应一条龙与第三产业的发展。

老 李：这可是"一业兴带动多业兴，一村富带来多村富"。

张主任：还有临汾市襄汾县荀董村。这个村发展思路比较独特，主要靠生地购销业务走上了致富路。现在，荀董村有85%以上的村民从事生地购销，成为药材经纪人。在河北安国、安徽亳州等国内各大中药材市场都有荀董的药材直销窗口，每年全国市场上的生地有三分之二都出自这里。荀董村已经形成一个集种子供应、技术服务、产品回收加工、集中批发销售"四位一体"的药材集散地。好多成功的典型事例都说明，要发展农村经济，必须根据实际情况，发展特色产业。我们只要把资源优势与特色产业结合起来，把优良产品与特色品牌结合起来，把传统品种与现代科技结合起来，就有强大的发展潜力。只要正确引导，统筹发展，再加上政府的大力支持，咱农村经济活力就一定会更强，发展速

度也会更快。

王支书：看来，农、林、牧、副、渔，工、商、游、购、娱，都是咱农民的钱袋子。要带领群众发家致富，必须要拓宽思路，因地制宜，因势利导，发展适合自己的特色产业。我们下一步制订发展规划时一定请张主任当顾问。

张主任：没问题。

农民也要玩科技

张主任：实现农村跨越式发展，推进现代农业发展，很关键的一条就在于大力培养造就一大批懂技术、会经营的新型农民，全面普及和推广现代农业科技，不断提升农业的科技含量和农产品的附加值。只有依靠科技才能发展农业，只有用好科技才能让咱农民增收。

王支书：有道理。现在很多村都尝到了科技致富的甜头。我家有个亲戚是搞大棚西红柿的。前年春天，他发现秧子旺盛、坐果却很少。该注意的技术管理要点都注意了，问题到底出在哪里？后来请技术人员现场

取样检测、化验,才找到了症结所在。原来是土壤中氮肥严重超标,土壤养分比例失调,导致作物徒长。经配方施肥后,合理改善了土壤养分状况,当年种植的西红柿秧果并茂,获得了丰收。

老李:咱以前种地靠勤快,现在就得靠技术。

王支书:是啊!就说种大棚菜吧,他们村以前种大棚菜,主要靠乡亲们相互传授经验。由于部分农民缺乏农产品安全生产的知识,过度施肥、重茬,造成了土壤盐渍化、农药残留,最终导致蔬菜质量下降。种菜的收益降低,产业的发展也受到了严重影响。现在不同了,他们那个村成了蔬菜标准化示范区。哪天育苗,哪天浇多少水,哪天施什么肥,全按照绿色蔬菜安全生产标准化技术体系的规程来操作,既省心又省力。种出来的是无公害的蔬菜,在市场上很受欢迎,卖的价钱更高了,销路更宽了。

张主任:你说得对!过去单靠传统的农业生产方式生产不出高质量的农产品。现在是市场经济,对农产品质量的要求发生了很大的变化。不懂得技术,不提高农产品质量,不努力提高自身的素质,不按照农业标准化生产流程进行生产，产品就会被市场淘汰。

老 李： 同样的大棚，同样的人，采用了绿色蔬菜标准化生产配套技术，一年下来，收入就能增长一大截。这标准化生产让农民得到了实惠。

张主任： 我省非常重视农业标准化生产，把推进农业标准化作为发展现代农业的重要抓手。近几年，围绕蔬菜、林果业、小杂粮、养殖等特色农业，我省开展了以建设标准化示范区和开展农业监测等为重点的农业标准化工作，长治、运城等市形成了规范特色农产品发展的标准体系。农业标准化示范区建设促进了山西省农产品质量安全水平的提高，延伸了产业链条，打造了山西农产品的新优势，一批名牌农产品脱颖而出。比如，晋城高平市的生猪养殖标准化示范区通过"公司＋基地＋农户＋标准化"的建设模式，有效提高了生猪质量安全水平。"华康"、"正易"两个生猪品牌通过了国家无公害生猪产品认证和"进京生猪生产基地"资格认证，产品打入我国港澳市场和国际市场。还有晋中寿阳县的无公害甘蓝，享誉全国，成为北京奥运会的专供农产品。

王支书： 要想过好日子，就得学好科技。这已经成为大家的共识。现在乡亲们学习农业技术的积极性越来越高了。

张主任： 你说得对！上次我去忻州还听说了农村党员上"科技大学"的事呢。

老 李： 农民还能上大学？这可是件新鲜事。

张主任： 忻州市委组织部与西北农林科技大学联手，

建立了农村党员教育基地，对农村党员科技致富带头人进行培训，让120名农村党员上了"科技大学"。西北农林科技大学的专家针对忻州的特点，专门编写了教材，就当前农民最感兴趣的农业标准化与农产品品牌建设、农产品的特点与营销策略等进行了专题讲解。据参加培训的学员反映，这次培训让他们开阔

什么是农业标准化

农业标准化是以农业为对象的标准化活动，即运用"统一、简化、协调、选优"原则，通过制订和实施标准，把农业产前、产中、产后各个环节纳入标准生产和标准管理的轨道。农业标准化是农业现代化建设的一项重要内容，是"科技兴农"的载体和基础。其目的是将农业的科技成果和多年的生产实践相结合，制订成"文字简明、通俗易懂、逻辑严谨、便于操作"的技术标准和管理标准，推广应用到农业生产和经营活动中，把科技成果转化为现实的生产力，从而取得经济、社会和生态的最佳效益，达到高产、优质、高效的目的。

了视野，进一步提高了他们的科技致富带头能力，效果很好。其实不单单是忻州，各个地市对农村科技都很重视，实施了"科技进村入户"工程，大力推广农业先进实用技术，积极开展农民技术培训和技术信息服务。

王支书：县里的农业技术人员也到我们村来指导过，发放了宣传画和农业技术指导小册子，还把联系方式印在了上面，有问题可以随时咨询。农业专家做的培训很实用，对我们帮助很大。

张主任：不仅如此，根据现代农业发展需求，我省还要加大投入，建立健全新型农业社会化服务体系。计划

2009年完成基层畜牧兽医中心站建设任务，3年内全部完成区域性农业技术推广站建设，提高对植物病虫害的检测预警和快速反应能力，强化植物保护体系装备和队伍建设，加强农机服务。

王支书：这是个好消息。有了新型农业社会化服务体系，我们发展现代农业就更有信心了。

张主任：在市场经济形势下，农民要致富不仅要学农业技术，还必须掌握一定的现代信息技术。

王支书：说得对！其实，现在的农民对科技的掌握能力越来越强，都有"数字型"农民的说法了。

老 李：啥？"数字型"农民？

张主任：老李，这你就不知道了吧？随着科技文化素质的提高，现在农村很多家庭都买了电脑，越来越多的农民开始借助互联网，及时了解政策，掌握市场信息，学习实用技术，提高了生产经营本领，成为传统农业与现代信息完美结合的所谓"数字型"农民。

王支书：手机短信、网络浏览、QQ聊天、网上博客……农民通过短信、网络发布各种种植、养殖、加工信息，了解市场行情，还在网上与北京、上海、广州等全国各地的客户做起了生意，甚至开拓了国际市场，把生意做到了国外。有了高科技，咱农民足不出户就能掌握市场信息，轻轻松松销售农产品赚钱。

老 李：科技助农民，增收有保证。老汉我也要向年轻人多请教，好好学科技致富的本事。在这方面咱也不能落后，要玩一把科技。

土地承包经营权不能变

张主任：王支书，村里土地承包经营情况怎么样？

王支书：整体来说情况不错，早就发了土地经营权证的小本本，证书上的年限是从1998年到2028年。但是，我看报纸上说十七届三中全会对现有土地承包经营关系有了新提法，叫"长久不变"。大家对这个事都很关心啊！

张主任：党的十七届三中全会要求稳定和完善农村基本经营制度。以家庭承包经营为基础，统分结合的双层经营体制，是适应社会主义市场经济体制、符合农业生产特点的农村基本经营制度，是党的农村政策的基石，必须毫不动摇地坚持。同时，党的十七届三中全会对农村基本经营制度也做出了新的政策阐述，明确指出要赋予农民更加充分而有保障的土地承包经营权，现有土地承包关系要保持稳定并长久不变。

刘老伯，您放心种果树吧，土地承包经营权不会变。

老李：我也听广播里说了。可是怎么正确理解"保持稳定并长久不变"？

张主任：在稳定土地承包关系上明确"保持稳定"和"长久不变"，就是指无论是第二轮土地承包期内还是到期以后，承包关系都要保持稳定，不能随意改变。

王支书：这可真是说到了咱农民的心坎上了。家庭经营的关键是要有稳定的土地承包关系。这样农民才能有长期自主经营的土地，心中才能有长远的经营打算，才会更加放心地在土地上谋发展、增投入。

张主任：确实如此，这件事意义非常重大。1984年中央1号文件提出了土地承包期延长到15年。1993年中央又提出土地承包15年到期后再延长到30年。现在顺应广大农民的期盼，提出土地承包关系"长久不变"。这个"长久不变"，就是要为农民的土地承包经营权提供更加切实有力的制度保障，为农业发展、农村繁荣、农民增收奠定了制度性基础。把农户承包经营权落实到地块，使农户承包地权属更加明晰，让农民流转承包地更踏实，利益预期更明确。

王支书：说得对！有了制度保障，咱心里才更踏实。

张主任：另外，尽管农村全面实行了最低生活保障制度，但在当前和今后相当长的时期内，对绝大多数农民来说，土地仍然是最基本的生活保障。特别是在我国工业化和城镇化加速推进的时期，大量农民外出务工是我国的一大特色，也是一个长期的过程。农民有了稳定的土地承包权，进退才能有回旋的余地。

老 李：说得太对了！我大儿子在城里打工，我就总怕他以后没个退路。现有土地承包关系要保持稳定并长久不变，农民就进退自如了。外出有活干，就把地转给别人种；在外干不下去，就回来种地，也就没什么可担心的了。

王支书：30年前，全国各地纷纷将集体土地由生产队包产到户、包干到户，初步形成了以"双包制"为主要形式的家庭联产承包责任制。在这一轮土地改革中，几乎所有的农村人口都分到了"责任田"，基本实现了"耕者有其田"。通过土地承包，咱农民吃饱了饭，过上了好日子。如今，现有土地承包关系保持稳定并长久不变，真正让咱农民吃上了长效"定心丸"。咱们要更加珍惜土地，持续投资土地，创造更加美好的生活。

土地流转要坚持"三不得"

老 李：王支书，听说朔州市应县推动了土地流转制度。有个叫王喜的农民，他从去年开始租赁了1000亩土地种甜菜，靠这发了家致了富。土地流转的事，还得让张主任给咱好好说说？

王支书：这个事我也听说了。最近报纸和电视上也经常说"土地流转"的事。从2009年起，我省要陆续把土地承包经营权证发放到户，还要在不改变土地性质、用途，不坑害农民承包权益的前提下，积极引导农民以转包、出租、互换、转让、股份合作等形式流转土地承包经营权。张主任是这方面的专家。

张主任：王支书谦虚了。其实，土地流转是一种通俗的说法。全称应该叫做农村土地承包经营权流转。在我们

国家的政策中,土地流转一直是允许的。大家都知道,土地是咱农民的命根子,好多人都把它看做"保命田"。30年前,以"承包"为主题的分田到户,把土地的"使用权"还给农民,让农民的生活发生了天翻地覆的变化。30年后,党的十七届三中全会又鼓励农村土地"活"起来,允许农民以多种形式流转土地承包经营权,这就是土地流转。

土地流转让你种地致了富。

王支书:明白了。那土地流转会不会改变现在的承包关系呢?

张主任:这你放心。土地流转是建立在家庭承包经营和土地承包关系长久不变的基础上的。为了保障咱农民的土地权益,2009年中央1号文件规定了农村土地流转的"三不得",就是不得改变土地集体所有性质,不得改变土地用途,不得损害农民土地承包权益。也就是说,农村土地流转后,相当于"三权分离"。经营权归受让方,承包权还归承包农户,所有权也还属于集体。流转后的土地,仍然只能用于发展农业。咱农民依法享有土地流转权益,如租金、股份分红等。

老 李:那土地流转政策对咱农民有啥影响呢?

张主任:老李问到关键了。这我得从两方面解释。一方面，土地流转制度让农民更加放心地外出寻找致富门路，也就促进了政府倡导的劳务经济发展。稳定土地承包关系并长久不变给农民吃了定心丸，而在此基础上允许农民有偿自愿转让土地的承包经营权更让农民有了自主权，可以放心大胆地外出务工了。老李，你的儿子现在在外面务工也不用担心土地问题了。另一方面，土地流转制度促进了农业的规模化经营。大家都知道，农业特别是种粮效益低，对农民收入提高帮助小。表面上看是因为农产品价格不高，其实更深层次的原因是由于农业的经营规模偏小。所以，农业要有效益，要现代化，就必须搞规模经营，而规模经营就离不开土地流转。没有土地流转，形不成规模，也就无法让资本注入农田。

老 李：听起来确实不错。

王支书：确实是。现在咱们村里也有好多人出去打工了，土地可以给留在村里的人们种。张主任，土地流转

山西省土地流转政策

● 按照依法自愿有偿原则，积极引导农民以转包、出租、互换、转让、股份合作等形式流转土地承包经营权，发展多种形式的适度规模经营。

● 健全县、乡、村三级土地流转服务组织，建立土地承包经营权流转市场。

● 制定鼓励土地承包经营权流转的政策和办法，对土地经营权流出的农户，在培训就业、社会保障等方面给予扶持。

● 对土地经营权流入且形成适度规模经营的农户，在农业基础设施建设、农机购置、新技术推广、农产品营销、金融服务上给予扶持。

● 土地经营权流转不得改变土地集体所有性质，不得改变土地用途，不得损害农民土地承包权。

除了"三不得"以外，在实际工作中应该怎么做呢？

张主任：我讲几个省里的经验你参考一下。目前省里土地流转的形式也是百花齐放，各有各的招数，总结起来有这么几种。一种是转包。近年来受惠农政策影响，土地无偿转让的情况越来越少。越来越多的农民更愿意自己种地。而一些自己承包有土地，但从事非农产业，又不愿意放弃土地的农户，就转包给其他农户。第二种是出租土地。农民自己家原有的承包地，也不过十几亩。现在的"三农"政策越来越好，农民都愿意自己种地，所以想多种地就必须掏钱去租其他人的地。第三种是"土地入股，社员分红"。就是通过农民专业合作社，采用土地入股的办法，把土地集中起来统一由合作社管理。如运城永济北梯村葡萄合作社，采用土地入股的办法，把土地集中起来统一由合作社管理，明确每亩土地为一股股权，折合经营股每股 300 元，土地股为优先股。在土地使用的初年，每亩土地的保障金为 200 元，以后每年为 300 元。这既解决了农民资金紧缺的问题，还吸引了 87 户农民前来入股，短时

土地承包经营权流转应遵循的原则

● 平等协商、自愿、有偿，任何组织和个人不得强迫或者阻碍承包方进行土地承包经营权流转；

● 不得改变土地所有权的性质和土地的农业用途；

● 流转的期限不得超过承包期的剩余期限；

● 受让方须有农业经营能力；

● 在同等条件下，本集体经济组织成员享有优先权。

间内便集约土地312亩。

王支书：这下心里就有谱了。

专业合作社整合了大资源

王支书：张主任，邻村的赵支书参加了在太原召开的全国农民专业合作组织示范项目工作会，回来跟我讲了很多农民专业合作组织的事情。现在好多村都开始搞农民专业合作社。太原市清徐县的"小武蔬菜专业合作社"，是专门为了解决菜农生产技术、商标、销售等问题而建立起来的。现在的日交易量达100余万公斤，年交易量达7500万公斤，解决了农民卖菜难的问题。2008年，这个专业合作社成员的户均收入是全县农民户均纯收入的1.32倍。还有一个叫"日前"的合作社，带动当地110户农户，种植葡萄3万亩，生产的葡萄直接向超市供货。2008年，他们合作社的成员户均收入达6.6万多元，是当地农民户均纯收入的2.3倍。我们村现在基本上是家家户户都有核桃树，是不是也能组织大家搞搞合作社？

张主任：可以啊。随着农村经济结构的调整和农业产业化经营的推进，广大农民在家庭承包经营的基础上，自愿组织起来，兴办了各种类型的农民专业合作经济组织，并呈现出多种发展形式。党中央、国务院为了引导和规范农民专业合作社的发展，还出台了《中华人民共和国农民专业合作社法》，可见国家对农民专业合作组织有多重视。咱们村可以把核桃种植户组织起来，设立一个专业合作组织，为农民提供种子、化肥等农业生产资料的购买，核桃的销售、加工、运输、贮藏以及与核桃生产经营有关的其他技术、信息等服务。

老　李：农民专业合作组织还真好。现在核桃销售都靠中介收购，他们杀价杀得厉害。我们为了早早地把核桃卖出去，也互相压价，辛辛苦苦的，也赚不了几个钱。

张主任：是啊。从农民专业合作组织的特点上讲，它是以农村家庭承包经营为基础的，由同类农产品的生产经营者或者同类农产品的生产经营服务的提供者、利用者参加组成的，由农户自愿

联合、民主管理的互助性经济组织。农民专业合作社能够在一定程度上解决分散的农户相对于整个市场的力量单薄问题，以及在科技力量和品牌意识方面的薄弱。农民专业合作组织能够整合农业资源，降低市场风险，化解一家一户的小生产与千变万化的大市场之间的矛盾，解决一家一户办不了、办不好的事情。同时，通过专业化合作生产，还扩大了生产经营规模，降低了生产和交易的成本，提高了农业规模生产效益和农民收入。

老 李：现在核桃收购的时候都有标准，不知道农业合作社在这方面有没有作用呢？

张主任：老李，你这是讲到农业标准化的问题了。为了加强农产品的质量安全工作，现在国家和省里都在下工夫提高农业的标准化水平，也在大力支持龙头企业、农民专业合作社和科技示范户、种养大户率先实行标准化生产，加强无公害农产品、绿色食品、有机食品的认证和监管。运城市临猗县北杨村通过农民专业合作组织，成立了安绿集团，紧紧围绕苹果这一主导产业的发展，将果农、农民经纪人、纸箱厂、发泡网、托盘厂、恒温果库的业主联合起来，在国家工商总局注册了"安绿"商标，实行无公害生产，靠品牌闯市场、增效益，取得了明显的效果。

王支书：老李，看来咱们也应该抓紧时间组织了。

张主任：是啊。现在国内其他省份在农民专业合作组织上已经有了新的发展。《人民日报》2009年8月30日的一篇题目为《合作社抱团闯市场》的文章就讲了福建省建瓯市发展农民专业合作组织的故事。他们的做法是农民加入专业合作社，合作经济组织再成立联合会，联合起来到市场上竞争。正如文中所说的，这种大联合会让合作组织的路子越走越宽。合作组织就好像是咱农民的娘家，联合会就是合作组织的娘家。王支书，咱可不能落后啊。

老 李：看来这农民专业合作社是小组织整合了大资源，帮助小农户竞争大市场啊。

集体林权制度改革调动了大家的积极性

张主任：王支书，对林权制度改革，你赞成吗？

王支书：电视上播了，镇上还给我们发了宣传资料和问卷，村民们都很关心，打心眼里赞成啊！

张主任：是啊。林权制度改革是土地家庭联产承包责任制的深化和拓展，事关农村发展稳定的大局。这次改革的核心就是要明晰集体林地使用权和林木所有权，放活经营权，落实处置权，保障收益权，要使林权落实到户、到人，还山、还林、还利于民，使广大林农耕者有山、耕山有责、务林有利、致富有门。改革后，在房前屋后、自留地、自留山、非林业用地上生产的木材，不纳入木材生产计划管理，允许凭村、组证明办理木材运输证，依法上市销售，实行产销直接见面。

王支书：报纸上说，从2008年8月至2009年年底，我省在晋城市和清徐、左云、平鲁、五寨、方山、灵石、祁县、阳泉市郊区、沁源、隰县、垣曲等地开展集体林权制度

山西省集体林权制度改革的总体目标

用5年左右的时间基本完成集体林权制度改革明晰产权、承包到户任务。在此基础上，初步建立起"产权归属明晰、经营主体落实、责权划分明确、利益保障严格、流转顺畅规范、监督服务有效"的现代林业产权制度，通过放活经营，完善政策，规范管理，逐步形成集体林业良性发展机制，实现森林增长、生态改善、农民增收、林区社会和谐的目标。

改革试点。这次改革的范围是什么呢？

张主任：主要是集体所有的林地、林木。其中，公路与铁路通道绿化工程、环城绿化工程、城郊森林公园和汾河主干道两岸护岸林工程，不纳入本次改革范围。对权属不清、争议未解决的林地、林木，暂不纳入改革范围。自然保护区、森林公园、风景名胜区、河道水库及国有林场和农场经营管理的集体林地、林木、经营管理现状和林地、林木权属保持不变。

什么是"一分二均三稳"

所谓"分"，就是集体林地的所有权保持不变，经营权以家庭承包方式分下去，凡是能承包到户的都要承包到户。农民在集体林地承包经营中居于主体地位。所谓"均"，就是在落实家庭承包经营权和分配集体林地流转、招标拍卖收益时，做到均山、均股、均利。分山时以农村集体经济内部每一农户为承包人与集体经济组织建立承包关系，按家庭成员人数来确定林地林木承包经营份额，做到"按户承包、按人分地、人人有份"。所谓"稳"，就是坚持一切为了群众，一切依靠群众，尊重历史，保持政策的连续性，妥善解决遗留问题；尊重农民意愿，对不宜实行家庭承包经营、采取其他方式承包经营的林地，必须经过2/3以上的村民或2/3以上村民代表同意。

老 李：那改革后分给村民自己的林地，能不能随便砍伐？是不是还得办砍伐证？

张主任：乱砍滥伐在任何时候都是不允许的。林改就是要"放开放活商品林，管严管死公益林"。要建立补偿机制，对生态公益林实行效益资金补偿。即使有间伐指标，也得严格按照有关法律法规和规定，经林业主管部门办许

可证,再由村里统一安排,绝不能乱砍滥伐。

老 李:林权改革对咱老百姓有啥好处呢?

张主任:咱老百姓关注林权制度改革,主要就是看林改对老百姓是否有利。我省在林权改革试点中,把握"一分二均三稳"的基本原则,以明晰集体林地使用权和林木所有权为核心,做到"按户承包,按人分地,人人有份"。集体林权制度改革大大调动了农民的积极性。农民可以通过承包经营集体林地、抚育间伐、林下资源开发等,获得收益。晋中市祁县思贤村实行林改后,将全村的宜林荒山荒地一次性分给农户,极大地调动了农民植树的积极性。截至目前,全村共植树20多万株,发展果粮间作3400亩,栽植梨树16余万株,实现了人均100株木材树、80株酥梨的目标,人均林业年收入达到3000元左右,被全国绿化委评为"全国造林绿化千佳村"。

征地就要有补偿

王支书:最近省里规划的一条铁路,刚好从我们村西头的地里穿过,看来接下来的工作就围绕征地补偿转了。

张主任:征地补偿直接关系到咱老百姓的切身利益。征地就要有补偿。但最近几年由于补偿标准的问题,引发了不少争议和纠纷。为了切实保障被征地农民的合法权益,十七届三中全会以后,国家决定从2009年起逐步适当提高征地补偿标准,平均提高幅度在20%左右,今后每两年至三年将调整一次,逐步提高。现在省里新的征地补偿标准还没有颁布，但是大致的补偿解决方案在《山西省实施〈中华人民共和国土地管理法〉办法》以及《关于山西省建设项目征地补偿意见的通知》等文件中都已经明确了。

王支书：那如何保证征地补偿同地同价呢？

张主任：根据政策要求，各地要制定并公布统一的年产值标准或区片综合地价，征地补偿要做到同地同价。土地补偿费主要用于被征地农户，各地要制定土地补偿费在农村集体经济组织内部的分配办法。被征地的农村集体经济组织应当将被征地补偿费用的收支和分配情况，向被征地农户公开。

老 李：土地被征用了，我们以后的生活怎么办呢？

张主任：2007年，我省也下发过相关文件，明确规定把被征地农民纳入社会保障范围，并对被征地农民进行就业培训。被征地农民参加农村社会养老保险的保障标准，不得低于当地城市居民最低生活保障标准，有条件的也可以参照当地最低工资标准的80%确定保障标准。对城市规划区内处于劳动年龄段的被征地农民，在城镇企业就业和已转为城市户口自谋职业等人员，要按城镇企业养老保险政策缴纳养老保险金。被征地农民在按规定参加被征地农民社会养老保险的同时，还可以参加新型农村社会养老保险。

老　李：所有被征地农民都可以这样吗？

张主任：不是，只有因政府统一征收农村集体土地而失去大部分土地的16周岁以上的在册农业人口才适用这条规定。被征地农民不论男女，一律从年满60周岁的次月起，按月领取养老金，直至身故。领取不足10年身故者，其法定继承人或指定受益人可一次性领取其个人账户中的资金余额。

老　李：这样我们就放心了。

不搞资源整合不行

王支书：近年来，省里煤炭资源整合的力度不断加大，到2010年平均单井规模要由目前的36万吨提高到90万吨以上。我们村的小煤矿也不能开采了，对大家的收入造成一定的影响。

老　李：是啊。原先的村集体收入中很大一部分都来源于小煤矿。村里的一些人也都在那里打工。这样一来，村集体和村里许多人的收入就成了问题。省里为什么要实施这项政策，不兼并、不重组、不整合行不行？

张主任：这实际上是"一问三题"。首先，煤炭工业粗放发展的老路还能不能走下去？其次，如果走不下去了，兼并、重组、整合这条新路是否走得通？其三，除此之外还有没有其他办法？大家要明白的是，我省传统的煤炭工业发展模式已经难以为继，必须彻底摒弃；兼并、重组、整合是加快煤炭工业科学发展的唯一正确选择，而且形势还很紧迫，慢不得，更等不得。

王支书：我也知道煤炭工业粗放式发展的模式已经使我省付出了惨重的代价。

张主任：是的。不计代价的粗放式开采，资源和生态环境代价很高，大量中小煤矿资源回采率只有20%左右。山西已多次被中科院等机构列入可持续发展能力不足的省份。矿难频发，生命损失也相当惨重。

老 李：对！关于矿难的事电视上经常报道，看着真让人心痛。

张主任：山西煤炭行业产业素质低下，收益分配也欠合理，褒义的乌金常与贬义的黑心和愚昧挂钩，抹黑了山西和山西人的形象。

老 李：这点我们农民深有体会。

王支书：山西不仅是煤炭大省，更是煤炭调出大省，照理应当拥有近乎垄断的市场竞争力。但每当供需关系变化激烈的时候，受冲击的总是我们。张主任，您说这又是为什么？

张主任：这是我要说的另一个原因。山西煤炭产业集中度偏低，使山西人"拿着金饭碗讨饭"。人们都记忆犹新的是，亚洲金融危机期间，外省欠我省的煤款超过116亿，占当时全省煤炭行业年销售收入的三分之一还多，整个煤炭行业乃至全省经济都因此陷入困境。这种窘迫，经济大

环境当然是根本原因，但我省煤炭工业主体太多、力量分散，难以形成整体竞争优势，也加重了这种窘迫，这是源于我们自身的重要原因。

王支书：看来我们不加强自身实力是不行的。

张主任：是啊。这次国际金融危机以来，我省又受到了严重的冲击。这些都说明，传统的煤炭工业发展模式已经无路可走，难以为继。传统发展格局已经没有任何存在和延续的理由。

王支书：可是我们还是担心地方煤矿被整合以后的税收和产权收益问题。

张主任：我省的态度是"努力让各方满意"。就是要努力做到让被整合的企业满意，让整合的主体企业满意，让地方政府满意，让与之利益相关的农村等各方满意。

王支书：煤炭资源整合及企业转型过程中，民间资本退出以后又该往哪里去呢？

张主任：省政府出台了关于促进民间资本进入我省鼓励类投资领域的意见，对民间资本投资遇到的准入障碍和土地、环评、资金、信息等"瓶颈"对症下药。这一系列政策措施的出台，对利益各方的疑虑都一一得到了化解。随着整合工作的深入推进，一些方案和措施还将不断完善，使之更加贴近实际，更加符合大多数人和社会的整体利益。

老 李：这样，我们就放心了。

王支书：我们山西煤炭工业的发展是该改变了。但是，为什么要选择煤炭资源整合这条路呢？

张主任：这是推进全省煤炭工业脱胎换骨，提高企业

山西省针对资源整合采取的相关配套措施

为了做到让各方满意,我省采取了一系列务实周到的措施。一是对重组进入煤炭大集团的煤矿企业,由煤炭大集团在被兼并煤矿所在地登记注册子公司,确保税费上缴渠道和各方既得利益不变;二是保持重组前的利益分配格局不变;三是把原国家和各级政府投入地方国有煤矿和乡镇煤矿的各类资金,转为国有股份,按股份分享利益;四是让原地方国有煤矿的从业人员,顺延签订劳动合同,进入国有重点煤炭企业,保持原有的待遇不变。

管理水平、技术水平和市场竞争力的治本之策,也是加强对我省资源和环境的保护,实现转型发展、安全发展、和谐发展的必由之路。

王支书:有人说"只技改,不整合"同样可以实现煤炭工业可持续发展、安全发展,您认为呢?

张主任:这种说法的出发点也许是好的,其实质是想绕开办矿体制改革和资源配置格局调整这个核心矛盾。殊不知这个矛盾根本绕不过去。我省煤炭工业现状决定了不推进兼并、重组、整合,想象中的技改根本无法实行。特别是现代化的技术设备,小型煤矿没有相应的实力购置使用,技术改造的水平较低。相应地,管理水平也跟不上来。因此,无论是从保护和合理开发利用资源的角度,还是从安全发展的角度,小矿都必须尽快淘汰。对山西煤炭工业的健康持续发展而言,只有推进兼并、重组、整合这一条路可走。而且,就环境保护、资源有效利用等方面来讲,这项政策也是惠及子孙后代的好事。

王支书:所以我们要坚持科学发展,就是要做到:不欠自然账，不吃子孙饭，不忘民为本。

张主任：办任何事情都要遵循科学规律，不做饮鸩止渴的事；遵循自然规律，不做拔苗助长的事；遵循发展规律，不做杀鸡取卵的事。村干部尤其要常思科学发展之策，常虑资源短缺之忧，常修勤政惠民之德。

老　李：再苦不能害子孙，再穷不能毁环境。看来，不搞兼并、重组、整合不行！

"以煤补农"促和谐

老　李：娃儿他姑姑嫁到了临汾市乡宁县管头镇。前阵子去他姑那儿走亲戚，一进村口，一幢六层大楼就十分惹眼。走近细看，是村里新盖的学校。教室窗明几净，学校还有阅览室、兴趣室、电脑室，真是气派。一打听，才知道这是村里的矿主集资建成的村小学。娃儿他姑说乡政府还为他们免费提供花椒苗、苹果苗，投入几十万元呢。这些钱都是从那个叫"一矿一事一业"的事上来的，这可真是个对农民有利的好事情。

王支书：这个事我早就听说了。近年来，在乡宁县委、县政府的积极引导下，大力推进"一矿一事一业"，农村修路、建学校、解决百姓吃水看病等公益性事业均由当地矿主掏腰包。张主任，你能给咱说说这个事吗？

张主任：这项活动是我省落实"以煤补农"政策的具体体现。它既有利于推动新农村建设，又有助于构建和谐社会，让广大农民得到了实惠。如果说煤炭资源的有偿使用是政府对企业的硬约束,那么乡宁"以煤补农"的新探索则颇具"软效应"。从这一点上讲,乡宁的探索与实践对我们这个能源大省是很有意义的。

老 李:以煤补农这个政策好。现在我们农民也可以从煤上得到实惠了。

山西从三块进行"以煤补农"

第一块是由国家建立的能源原材料产业资源补偿机制;第二块是推进资源的有偿使用,煤矿开采要交一定的有偿使用价款,其中一部分用到县及县以下的社会主义新农村建设中;第三块是具体到每个地方的煤矿,号召"一矿帮一村",让煤炭企业帮助农村发展致富,建设农村的公共设施,共同推进新农村的建设。

张主任:政府除了在收取的煤矿企业费用中拿出一部分用于"三农"补贴之外,还会出台相关政策,为煤矿企业服务"三农"搭建一个平台,为鼓励企业承担社会责任创造一个载体,为企村共建新农村提供一个机遇。比如长治市郭庄煤业就在2005年成立了一个新企业,开发老爷山旅游区,以此带动农民增收。同时绿化荒山,治理采空区。开发旅游以来,群众以发展农家旅馆、纪念品经销等形式,找到了新的致富门路,山区百姓加快了脱贫的步伐。

王支书:前段时间我还看到咱们省委书记在长治调研的报道,说长治市的渔泽镇有5个煤矿。这些煤矿,要么为农业龙头企业担保,要么与农村企业联合经营,要么直接参与农村的基础设施建设,都为新农村建设贡献了一份力量。以往煤矿与农业、矿主与农民的关系是我们村干部最难处理的问题。有了这个政策,我们的难题也就可以化解了。

张主任：是啊。治理采煤沉陷区，协调好村矿关系、城矿关系、城乡关系，这些都是带有山西特点的问题。我们要把"以煤补农"作为解决"三农"问题的重要抓手，推进和谐社会建设和新农村建设。煤炭企业要有强烈的社会责任感，为山西的和谐发展做出积极的贡献，建立健全以工促农、以城带乡以及"以煤帮农"、"以矿帮村"的长效机制。

王支书：我明白了。"以煤补农"就是将矿主回报社会与调整产业结构、保护环境、实现本地区可持续发展结合起来，走矿主可持续发展、农民可持续增收、社会和谐共荣之路，是促进农村经济社会转型的好举措。

老 李："以煤补农"能让咱农民得到真正的好处，真是一个符合咱山西实际的好办法。

小额贷款解决了农民的大难题

老 李：我早就看上了生猪养殖这条路子了。但要建一个像样的养殖场，需要投入不少钱。咱一辈子也没见过那么多钱，亲戚朋友也都没有那实力，只能小打小闹干着急呀！

王支书：是啊，村民们常有很多好点子、好项目，但大多缺乏启动资金和扩大再生产资金。这是困扰我村农业产业发展的重要原因。

张主任：投资是经济增长的主要因素。由于农业本身的产业地位和特点,使得我国农业资金投入严重不足,成为制约农业和农村经济发展的"瓶颈"。

王支书:近几年,虽然政府出台了不少粮油生产和畜禽养殖直补政策,大量政府投资进入到农业生产中,但对于农民的需求来说还是差得很远。

张主任:解决这个问题关键在于怎么破解农村资金短缺的问题。只有向农村大量注入资本,才能促进农业增产,实现农民增收,保持农村稳定。我认为利用金融机构贷款是解决资金短缺最有效最直接的途径。

老 李:农民贷款难呀!希望金融系统门槛低一点,多给点贷款。贷多了抵押不够,少了又发展不了。

王支书:是啊,这已经成为农民生产生活中的一大困惑。

张主任:为了解决这一问题,省里已积极安排部署,在完善各级涉农金融协调机制的基础上,推进农村金融产品和服务方式的创新,建立多层次、广覆盖、更便捷、可持续的农村金融服务体系,以不断满足农村多元化的金融服务需求。

有了小额贷款,你才养猪致了富。

王支书:张主任,现在省里针对金融支农

都有哪些具体的办法呢?

张主任： 对于金融机构来说，省里规定县域内银行业金融机构新吸收的存款主要用于当地发放贷款。各商业银行要合理下放信贷管理权限，扩大基层分支机构信贷自主权，优化贷款程序，简化审批手续。农业银行、农业发展银行、邮政储蓄银行山西省分行要不断扩大涉农服务范围，完善金融服务网络，加大支农服务力度。农村信用社要改善法人治理结构，转换经营机制，发挥为农服务的主力军作用。按照"宽准入、严监管"的原则，鼓励发展小额贷款公司、村镇银行和农村资金互助社等新型农村金融服务机构和以服务农村为主的地区性中小银行。

王支书： 我在报上看到过有关我省平遥小额贷款公司的报道。他们在支持服务"三农"工作中发挥了积极的作用。

张主任： 晋中市平遥县作为我省小额贷款的试点县，在服务"三农"发展方面发挥了很大的作用，有效解决了广大农民和中小企业贷款难的问题。在引导、规范民间借贷秩序方面，起到了重要的调节作用。同时，还打破了农村原有的金融格局，成为农村信用社潜在的竞争对手，在服务"三农"的同时，公司自身也取得了较好效益。平遥小额贷款公司的成功运行，引起了国务院有关部门的重视，被誉为"平遥模式"。

王支书： 小额贷款公司来自本乡本土，对农民熟悉，方便灵活，值得推广。

张主任： 省里还开放了民营资本进入微型金融服务业

的途径，允许农村小型金融组织从金融机构融入资金。这样农村金融服务体系就更加完善了。

王支书：要是能解决农民贷款难和金融部门收贷难的"两难"问题，解开束缚"三农"经济发展的"死结"，农业就一定能稳定发展。

老 李：贷款渠道虽然多了，但由于农民没有担保，还是贷不出钱来啊！

张主任：这个也别犯愁。我省已经建立了政府扶持、多方参与、市场运作的农村信贷担保体制，把大型农用生产设备、林权、水域滩涂使用权等纳入有效担保物的范围。

王支书：还有，由于农业特别是现代农业是一个投入高、风险大的行业，迫切需要农业保险为其稳压。

张主任：政府部门正在不断健全政策性农业保险制度。从2009年起，将对大宗农产品和大中型农业机械开展保险试点。除此之外，全省还将选择一些县域经济发展较好的地方，开展农村金融产品和服务方式创新试点，推广农户小额信用贷款和农户联保贷款，发行涉农中小企业集合债券，加强社会诚信体系建设，改善农村金融环境。

王支书：我明白了。改善农村金融服务就是建立规范的现代农村金融制度，吸引众多金融机构关注农村市场，引导信贷资金投向农村，推进农村金融产品和服务创新。

老 李：政府为农民想得就是周到。不仅解决了贷款问题，也解决了担保和农业保险等问题。我现在有很多新办法来筹集资金，我的生猪养殖是有希望了。

农业投入要有保障

老　李：资金的问题解决了，我们最担心的就是自然灾害和牲口的病疫。一旦遇上，农民的损失就大了。

王支书：即使是大丰收的年景，我们也担心农业增产，农民能否真正增收。主要就是因为稳定农产品价格的长效机制还没有真正建立起来。

老　李：国家储备粮的一级粮保护价是七毛八分钱，但是一些粮食公司抬水压价。有的因为收购的网点少，距离远，农民卖粮的成本加大了。

张主任：一些地方在组织工作中还是有疏漏。应多设一些商业网点，方便农民卖粮。同时，要向农民宣传两条：粮食产多了，政府一定要收购上来，不会谷贱伤农；市场上粮食价格太低了，政府就要推出最低收购价，不能让农民吃亏。

老　李：这下心里

山西省农业补贴办法

参照中央对粮食主产区的补贴标准，适当加大对种粮农民的补贴。加大对粮食生产大县和优势农产品基地县的转移支付和奖补力度。对集中连片推广优良品种、测土配方施肥、地膜覆盖、秸秆还田、机械化保护性耕作等粮食生产主推技术实行补贴，对设施果菜、规模养殖小区进行奖补。在扶持重点项目的基础上，对农业产业化龙头企业采取贷款担保、贷款贴息和保费补贴方式予以扶持。完善与农业生产资料价格上涨挂钩的农资综合补贴动态调整机制。提高对农民购置农机具补贴比例，扩大补贴种类和范围。

就踏实了，大家种粮就更有积极性了。

张主任：进一步关注农业，从政策上加大对农业的扶持力度，以消除农业在发展中的生态风险、经济风险和社会风险，对于确保工农之间、城乡之间统筹协调发展具有十分重要的现实意义。

王支书：我省在农业保护方面已进行了不少尝试，成效还是明显的。当前我省总体上已进入以工促农、以城带乡的发展阶段。政府将怎样加大对农业投入的保障力度呢？

张主任：在支持"三农"方面，政府加大了投入力度，明确规定各级财政对农业投入增长幅度要高于经常性收入增长幅度，新增基础设施和社会事业发展的投入60%以上用于农村，土地出让收益、耕地占用税新增收入的80%以上用于农业和农村基础设施建设，省统筹基本建设资金总额的20%以上用于农业基本建设。

王支书：政府投入是在不断增加。但我们也知道政府的资金有限，应该把有限的资金集中起来办大事。

张主任：是的。政府也加大了对支农资金的整合力度，建立了省级支农资金整合协调机制，扩大了县级支农资金整合试点范围。

老　李：农民希望看到实实在在的好处，比如对种粮、农机等的补贴，把政府的投入真正用到农业生产中去。

张主任：农业补贴就是要对症下药，就是要补到实处。根据各地的不同情况，政府制定了一系列完整的农业补贴制度，扩大范围，提高标准，完善办法，真正做到了符合农民的实际需要。

王支书：我省正在不断加大农村保障制度的投入力度，让农民的各项经营项目有更大的保障。要保障农业投资稳定增长，提高农业投资效益，规范农业投资管理，促进农业和农村经济持续、稳定、协调发展。因此，要多渠道筹集农业资金，逐步提高农业投资总体水平，建立风险防范机制，并对资金统筹安排，保证重点，合理使用，严格管理，加强监督，兼顾经济效益、社会效益、生态效益。

老　李：农业投入保障机制解决了我们的大问题！

城乡一体化是大趋势

老　李：国家要推动城乡一体化，不知道是个什么样的政策？

张主任：党的十七届三中全会提出，要促进城乡经济社会发展一体化。这对解决"三农"问题，促进新农村建设和全面实现小康社会，都具有十分重要的意义。城乡一体化主要是指，城市与乡村在一个相互依存的区域范围内谋求融合发展，协调共生。城市和乡村是一个整体。其间，人口、资金、信息和物资等要素要在城乡间自由流动，城乡经济、社会、文化相互渗透，相互融合，高度依存。其内涵包括体制一体化、城镇城市化、产业结构一体化、农业企业化和农民市民化等。

王支书：我明白了。城乡一体化就是以城带乡，以乡促城，使从业人员由农业向非农产业集中，农民由农村向城镇集中，工业由分散向园区集中，耕地由一家一户经营向规模经营集中，公共设施由城市向农村延伸，公共财政由城市向农村覆盖，现代文明由城市向农村传播，从而实现城乡发展政策一体化、产业分工一体化、服务功能一体化、教育卫生和社会保障一体化、社会进步一体化等。

老 李：我理解城乡一体化是让农民享受到与城镇居民同样的文明和待遇，使整个城乡经济全面、协调发展。

张主任：对！这不仅是思想观念的更新，也是政策措施的变化；不仅是发展思路和增长方式的转变，也是产业布局和利益关系的调整。在中央强农惠农政策的指引下，我省统筹城乡发展已经迈出实质性的步伐，以工促农、以城带乡的体制机制在探索中逐步建立，农村改革发展具备了良好的政策环境和工作基础。

王支书：我认为城乡一体化将成为解决农村问题的突破口。特别是对于我们这个资源型省份，农业比重小，工业反哺农业、城市支持农村的能力相对较强，城乡融合程度就会比较高。因此，选择在城乡一体化上搞突破，将会更好地推动农村的转型。

张主任：王支书的反应很快，能结合我省实际说政策，不愧是好干部。

王支书：你过奖了。能具体说说吗？

张主任：我省朔州市平鲁区的"城乡一体化"建设成效就非常典型。从2006年开始，平鲁区大胆实施了以"一城十镇百村"为重点的"城乡一体化"试验，推动生态移民、退耕还林、扩城瘦村……从摸着石头"试水"到改革步入"深水地带"，平鲁区开拓了一条欠发达地区的"城乡统筹发展"之路，取得了明显的成效。第一，缩小了城乡差别。城里富、乡下穷的尴尬局面正在悄然改变；城里美、乡下靓的面貌正在逐渐显现，农民获得公共服务的机会正在与城市居民同步。目前，全区农村的户籍、社保、教育、医疗、就业等各项改革正在向纵深推进，城乡经济、社会、环境协调发展的目标正在变为现实。

山西加快建立城乡统一的管理体制

统筹城乡产业发展，建立城乡统一的产业发展支持体系，引导城市资金、技术、人才、管理等生产要素向农村流动。统筹城乡公共服务，进一步加大财政对农村公共事业的投入，鼓励省域中心城市和资源密集地区率先实现城乡基本公共服务均等化。统筹城乡基础设施建设，政府投资的重大项目在设计、建设、管理的全过程要充分考虑新农村建设的需要。统筹城乡劳动就业，加快农村富余劳动力培训转移，实现农民工劳动报酬、子女就学、公共卫生等与城镇居民同等待遇，扩大农民工工伤、医疗、养老保险覆盖面，尽快制定和实施农民工养老保险关系转移接续办法。统筹城乡社会管理，加快户籍制度改革，使在城镇稳定就业和居住的农民有序转变为城镇居民。选择一批条件较好的市县开展统筹城乡综合改革试验，鼓励各地、各部门从实际出发，探索推进城乡发展一体化的具体途径，力争在一个或几个方面实现突破。

老　李：第二是什么？

张主任：第二是改变了农村面貌。曾经封闭的村庄筑起通衢大道，狭窄的巷道变成了宽敞的街道，低矮的土窑洞变成了整齐的平房和楼房，遍地垃圾变成了茂密的树林和碧绿的草坪。广大农民走出大山,进城入镇,实现了"走平坦路,喝干净水,住整洁房,过文明生活"的目标。第三,拓宽了增收渠道。"一城十镇百村"建设,为平鲁贫困山区农民脱贫致富提供了新的机遇和保障。随着经济结构的战略性调整,农民可直接享受到国家和本区的退耕还林还草政策性补偿,农民外出务工等收入也在增加。农民充分利用区位优势,服务业逐步形成稳定规模,经济效益开始显现。第四,转变了思想观念。"一城十镇百村"建设,使广大农民生产生活环境从根本上得到改善,生活习惯、精神面貌、道德风尚、行为规范也在潜移默化中发生着深刻变化。同时,平鲁区依托农民培训中心,重点着眼青年农民素质的提升,增强了农民科技意识,提升了农民科技素质,使他们逐步由体力型向技能型、专业型、知识型转变。他们的做法被称为"平鲁模式"。

王支书:我看到报上介绍了晋中介休市工业反哺农业、城市支持农村推进新农村建设的报道,感到这个做法确实太好了。

老 李:这可真是城发展,乡发展,落实科学发展观同发展;国富裕,民富裕,创文明和谐社会齐富裕。那城乡一体化具体该如何实施呢?

张主任:城乡经济社会一体化的深入推进,要求农村发展必须以社会主义新农村建设为总抓手,进一步加大工作力度,实现城乡基本公共服务均等化;找准统筹城乡发展的结合点,做大做强本地区的经济。同时,我省农村改革发展也面临不少困难和问题。农村经济体制尚不完善,

构建城乡经济社会发展一体化体制机制的任务还是很艰巨的。

老李：照这么说，农村的生活条件也能像城市那样，祖辈们没有实现的愿望在我们这一代可以实现了。我们还可以搞一个蔬菜大棚，专给县城供菜，经济收入也会增加。看来，城乡一体化是农村发展的大趋势。

共产党就是要让农民过得舒心

——谈谈必须完善农村公共服务体系

"五个全覆盖"暖了咱农民的心

老 李：王支书，我觉得你这人有点能耐，前些年咱们这里的路一下雨就泥乎乎的，现在你看修的这水泥道，油光光的。

王支书：这哪是我的功劳啊！老李，这要感谢政府的好政策。

老 李：群众心中都有杆秤，那秤砣就是咱老百姓。你为大家办了多少实事、好事，你在群众心中的分量就有多重。光修这条路，你知道村里有多少人念着政府和你的好呢！

王支书：看把你满足的。告诉你，咱村里的面貌马上还会有新变化。

老　李：真的？啥变化？

王支书：这具体内容还得让张主任来说说。

张主任：老李，这是咱省里的一个新举措。主要内容就是投资约78亿元建设总里程约3万公里的村通水泥路；改造完成共826万平方米的中小学校舍危房；进一步推进乡村卫生机构基础设施建设，加强基层卫生队伍建设，实现每个行政村有1个村卫生室；我省已解决了7707个行政村、1639个50户以上自然村400多万农民群众听广播、看电视难的问题，在"十一五"期间，还将有效解决全省9193个20户以上已通电自然村收听收看广播电视的问题；投资约20亿元解决412万农村人口的饮水安全问题。这5个方面合起来，就叫"五个全覆盖"。

"五个全覆盖"

在2009年山西省"两会"期间，省政府提出将用两年的时间在全省农村实现"五个全覆盖"，让广大农民共享改革发展成果。这"五个全覆盖"是指具备条件的建制村通水泥（油）路全覆盖，中小学校舍安全改造全覆盖，县、乡、村三级卫生服务体系特别是村级卫生室全覆盖，村通广播电视全覆盖，农村安全饮水全覆盖。

老　李："五个全覆盖"？啥时候才能覆盖完啊？

王支书：应该是明年就要完成吧！

张主任：对，省里明确提出"五个全覆盖"今明两年要全部完成，总投资175亿元。王支书，有时间带上村民去清徐县看一下，清徐一半以上的村子"五个全覆盖"已经实现了。那里的村民出入走水泥路，小病不出村，到卫生室就能解决，看电视能收到四五十个台，感到非常满意。

王支书：电视上说，阳泉市举全市之力，已经在全省率先实现了村村通水泥路"全覆盖"。

"五个全覆盖"让咱农民过上了好日子。

老 李：可不是，这样的生活像做梦一样，有谁会不满意？

王支书：老李，"五个全覆盖"就是要让咱农村基础设施的面貌有个新变化，让咱老百姓享受改革发展的成果，你就等着享福吧！

老 李：听你们这么一说，心里还真是热呼呼的。

农村基础建设还要下工夫

老 李：王支书，"五个全覆盖"解决的都是大问题，我这有个小事想和你说一下。

王支书：啥事？

老 李：我家离砖厂比较近，只要砖厂一开工，我们家的电压就不稳了，有时候看电视都受影响。

王支书：这不光是你家的问题。前段时间，我们和供电部门联系给咱村换了变压器，但好像没什么改观。

老　李：那该怎么办？王支书，你得想办法啊，要不电费交得有点亏。

王支书：张主任，你给咱支个招，说说这该怎么办。

张主任：你们说的属于农村电网"卡脖子"问题。这种现象在农村许多地区都存在。随着农村经济的发展和居民生活水平的提高，过去的电网已经不适应现在的需要了，亟待提升和改造，扩大容量，提高供电的可靠性。加上现在政府开展家电下乡、农机下乡等，对电的需求越来越大。这些因素进一步考验着农村电网的配送能力。

王支书：看来关键还是设备有些老化。

张主任：可以这么说。近年来，随着统筹城乡发展的步伐加快，我们国家的基础设施建设进一步向农村延伸。农村基础设施建设的机制发生了重大变化，由过去农民主导正在向政府主导转变。国家进一步加大了对农村水、路、气、电、房建设的投入力度，加快了农村教育、医疗和文化等基本公共服务设施建设，农村的生产生活条件正在得到明显改善。但由于历史欠账的原因，改变农村基础设施落后的局面还任重道远。在当前和今后一个时期，改善农村生活设施和农村环境，继续抓好水、电、路、气、房等基础性工程建设十分重要。

王支书：新农村建设中的基础建设，概括说就是12个字：农、田、路、桥、水、树、医、保、教、计、安、住。用一句时髦的话来说，是个系统工程。各地情况千差万别，改善农村基础设施还有很长的路要走，要一步一步来。

张主任：对。有些条件比较好的村子，基础设施的改善已经使农村生产生活条件和整体面貌有了比较明显的变化。

王支书：这个我有体会。去年参观大寨村时知道，现在同济大学负责新大寨基础设施建设的总体规划，要通过全面恢复大寨的历史原貌来开发特色旅游业，让参观的人看到真实的计划经济时代的农村景象。

张主任：这是大寨村依据自身条件提出的一个好的发展思路。但对于我省的大多数农村来说，基础设施整体上要有改观还任重道远。

老　李：你们说的我明白，就是咱村基础设施的建设任务还很繁重，需要下工夫、慢慢来，对吧？

王支书：老李脑瓜儿转得还挺快。

扶贫就要有新举措

王支书：老李，除了电压问题，新房住进去没别的问题了吧？

老　李：其他的都还满意。

张主任：应该的。一把年纪了，你也到了享清福的时候啦！王支书，咱村还有多少人住着像老李以前那样的旧房？

王支书：不多，也就10户左右。

张主任：这些都是村里的贫困户吗？村里要想办法帮助他们。

王支书：是啊！都是农村的"五保户"和特困户。以老年人为主。

老　李：俺们村里有个好习惯，村干部和村民代表逢年过节都会带着米、面、油去看他们。多亏村里的帮助，他们也算衣食无忧啦。

张主任：很好。那年轻人呢？村里有没有针对他们的帮扶措施？

王支书：年轻人除了种地，有劳动能力的还可以去砖厂干点零活挣钱。但在今后的日子里，我们村要通过大力发展产业来使贫困户脱贫致富。

张主任：王支书，你可以参考一下晋中市和顺县西沟村的做法。为了让村民早日脱贫，西沟村制订了扶贫项目初选表，上面有养牛、旱作节水、建卫生室等多个项目，最后村民用投票的办法选定了养牛。因为项目是自己选定的，大家实施的积极性十分高。我去那里看过，西沟村的养殖园区内共有40多户，户均收入4000元左右。有些村民靠养牛、打工等收入，年收入甚至超过万元。

王支书：我也想着给村民找点项目做。张主任，你对咱村也算熟悉，给提点好的致富点子。

张主任：王支书，选项目的这个想法很好。根据我们调研发现，只要低保工作做得细致，实现应保尽保，农村人口的基本生活就可以得到保障。但是这些贫困人口中，有些是有劳动能力的，不会满足于长期吃低保。我们有责任帮助他们发展经济、增加收入、过上好生活。至于选择什么项目，你们应该在充分调查研究的基础上选定。

王支书：新闻上说过这样一件事。大同的灵丘县有着丰富的矿产业，运输业发达。在新农村规划中，他们在县城边上利用闲置地开发出道坡村和北环村，有愿意做生意的人可以迁入这两个村搞餐饮业、运输业……年人均收入比以前翻了一番。

张主任：你说的灵丘县的这个例子属于移民搬迁。我省是一个贫困面大、贫困人口多、贫困程度深的欠发达省份。近年来，我省扶贫开发主要抓了整村推进、移民搬迁、劳动力转移、产业扶贫、教育扶贫、机关定点扶贫等工作，不断创新扶贫的思路和办法。我这里重点想和你说一下产业化扶贫。

老 李：快给咱说说。

张主任：产业化扶贫是近几年我省推出的一种新型扶贫方式，是持续稳定带动农民脱贫增收的有效途径。2003年，我省从贫困地区选出120个有发展潜力的农产品加工和流通企业，通过财政贴息支持方式，帮助扶贫龙头企业做大做强。2005年和2008年，全省先后两次共有32个企业被确定为国家级扶贫龙头企业。让扶贫开发项目与扶贫龙头企业成功对接，通过实施"公司＋农户"、"公司＋农户＋基地"等多种产业化经营模式，带动贫困农户增收致富。截至目前，全省受益于扶贫龙头企业的农户超过14万，约40多万农民从产业化扶贫链条中获益。左权县有个麻田顺康天然农产品有限公司，这是一家集收购、加工和基地建设为一体的民营企业，总资产达4200万元。在该公司的带动下，直接拉动该县6个乡镇120个村、7100余农

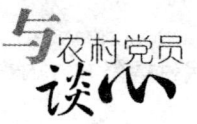

户受益。

王支书："公司+农户"、"公司+农户+基地"使生产风险由农户承担,经营、市场风险由企业承担,公司和农户结成"风险共担、利益共享"的整体,农户有了责任心,企业外出闯市场,这真是产业化扶贫拓宽了农民的增收路啊!

张主任：咱们村不是有养鸡场嘛,可以为周围养鸡户提供种鸡和技术服务,由养鸡场承担市场风险,和农民结成利益共同体,进而形成"市场牵养鸡场—养鸡场带农户"的产业化经营格局。

王支书：太好了。张主任,你的这番话给我们指了一条路,有效扶贫就要在产业环境和群众的生产习惯、产业意愿基础上,为发展做好充足的前期规划。老李,你有什么好的想法就及时提出来。

老　李：那肯定嘛。

农民工是咱亲骨肉

张主任：老李,你大儿子在什么地方打工?

老　李：在太原,一家物流公司。

张主任：金融危机对你家老大的工作有没有影响?说说情况吧。

王支书：村里还有7名年轻人和老李的儿子一起在那家公司打工。他们一直没有返乡,应该影响不太大。

老　李：俺家老大在那里干了四五年,一直没挪窝。

工资是每月 1500 元左右，还有提成。工伤、医疗保险都给交着。按理说这都挺好，但有时候还是有些不放心，怕孩子受苦。

王支书： 老李，他都那么大了。再说那么多人相互也有个照应，放心吧！

（每月工资 1500 元，还有工伤、医疗保险。）

张主任： 情况还不错，交着保险，看来是家正规公司。

老李： 他们还与每个工人都签订了正式的劳动合同。

张主任： 这很好啊！很规范。

王支书： 我看长治在这方面就做得比较好。不仅是有长治户口的学生可免费上学，外来务工人员的子女，只要有暂住证，证明在长治地区居住，也可以享受免费义务教育。还有晋中的左权，对在义务教育阶段就读的进城务工者子女，一律不收择校费，同样享受"两免一补"政策。

老李： 咱也有孩子在外打工。农民工就是咱的亲骨肉，这是应该的。

张主任： 最近几年，我省的农民工社会保障无论从具体举措到制度建设、法律保障，都显示出从未有过的力度

和广度。实际上，农民工带动了经济发展，我们应该创造条件改善他们的生产生活。比如晋城的高平市就建起了上百个农村浴室。外来农民工只需花一块钱就能洗澡，使他们真正找到了家的感觉。

王支书：他们真是做得不错。

张主任：2006年以来，省政府及有关职能部门出台了一系列惠及农民工的优惠政策，比如平安计划、春风行动、组织实施农村富余劳动力转移培训的阳光工程和农民工工资支付专项检查。2007年的省十届人大常委会第三十次会议还通过了我国第一部保护农民工合法权益的地方性法规——《山西省农民工权益保护条例》，首次将农民工纳入劳动权益保障维权范围。我们对农民工问题从来没有像现在这样，从党中央到全社会高度重视。全社会关注关爱农民工的大氛围正在形成。

王支书：对，我省每年不是还要评选"十佳百优"农民工进行表彰嘛。农民工兄弟外出务工不容易，我们应该多给他们一些关心和帮助，这样才能让他们感受到和谐社会的温暖！

老 李：听你们这么说，我对孩子在外务工放心多了！

新农村建设要靠新农民

老 李：张主任，现在的年轻人都外出打工了，好多村子就剩下妇女、儿童和老人这些"386199"部队，怎么建设新农村？

张主任：从全省的范围来看，的确有不少农村是"年轻能人进了城，老弱病残看了门"。这种现象导致农村人口结构不合理，建设新农村更是难上加难。咱村的情况怎么样？

王支书：前两年，年轻人往出跑的多，近两年情况好多了。加上去年爆发的金融危机，不少年轻人留了下来，"守土生金"。

张主任："守土生金"？依靠传统产业致富应该对广大农民有示范效应。

王支书：村东的李跃、李进两兄弟，以前在城里打工，活儿不是天天有。加上城里开支大，租房子、小孩上学，真是不容易。返乡后，他们养了50头猪，种了10多亩地，年收入4万左右。现在在村里，孩子上学免费，看病有合作医疗报销，种地不但免税还给补贴，养殖也给补贴。返乡务农比他们以前打工强多了。

张主任：王支书，在目前，农村劳动力进入城市，为城市的发展做出了重要的贡献，意义很大。另一方面，发展劳务经济，也是农村增收的重要途径。总的来看，劳务收入在农村总收入中所占的比重越来越大。但是，也有相当一部分人留在了农村，或者返回了农村。对这部分人，不但要让他们安心留下来，而且要把他们培养成懂技术、会经营、有文化的新型农民。他们是咱建设新农村的主体啊！只有调动起广大农民的积极性和创造性，才能形成新农村建设的内在动力。

王支书：我觉得，只有农民素质提高了，才能有比较好的增收渠道。好像是从2004年起，我省就加大力度培训新农民。政府还拿出专项资金用于新型农民培训工程。

张主任：对！对农民的培训方式如今也发生了转变。"围绕主导产业，培训专业农民，进村办班指导，发展一村一品"的办法正在不断完善推广。在给广大农民增"智"的同时，也为农村经济发展注入了生机。我省约有1100万农村劳动力平均受教育年限不足7年。所以自2004年起，我省先后选定58个农业条件较好的县作为新型农民培训重点县。除国家相关资金外，省、市两级财政每年配套1000多万元，为每个项目村补贴1万元，专项用于新型农民培训工程。在"十一五"期间，我省要重点培养200万名新型农民，使他们每人熟练掌握两至三项实用技术，将50%从事农业生产的劳动力培养成新型农民，全省实用技术入户率达到90%以上。

王支书：这对改善农村劳动力素质来说真的是非常重要。

张主任：但通过培训光掌握专业技能的农民还不能算是新农民。新农民的"新"还应该体现在农民的基础文化素质上，包括价值观、人生观、受教育程度等。一些农民因为基础文化水平低而无法进行专业技术的深入学习，光凭粗浅的经验进行粗放式的生产经营还不行。

王支书：所以提高农民群众的文化素质是加快新农村建设进程的一项非常重要的工作，也是一项长期的事业。我们村建起的农家书屋，既有理论、历史等图书，也有很多实用的科技教材，为大家的学习提供了方便。

张主任： 老李，有时间了你也要参加培训。

老 李： 快入土的人了，怕学不会，还惹人笑话。

张主任： 这种思想可是不可取的。我以前碰到过一位69岁的农民。过去因为家庭贫困、孩子多，没有念成书。每次县里组织科技人员讲课他都听不懂。现在，老汉经常让他的儿子和他一起去培训，回家后再向儿子请教。老汉和我说，文化对农民太重要了。这些年他就是吃了没文化的亏，看书看不懂，好多致富的机会都白白错过了。他现在最大的愿望就是能培养自己的孩子们好好读书。老人的决心让我感动。

老 李： 这老汉挺不容易的。老师要讲得浅点，我一定去。

张主任： 我在调研中悟出一个道理，凡是新农村建设搞得好的先进村，不仅有一个政治可靠、作风过硬的班子带头，还有一批有知识、有眼光、懂技术、会经营的新农民。好班子和新农民，就像方向盘和发动机，谁也离不开谁，谁也缺不了谁。

老 李： 你们这么一说，看来我也得变成"新农民"。

小病不出村，大病有保障

老 李： 今天早晨起来咳嗽不停，脸上直冒汗……

王支书： 老李，去卫生室看了没有？年龄大了，有了病可拖不得。

老 李： 去了，医生说没什么，吃点药就没事了。

王支书：那就好。以后有啥不舒服的就去问村医。小病卫生室里就能看好。

老 李：在咱村的卫生室没建好前，碰上什么头痛脑热的还要去镇上才能看病，要不就得到更远的县城。现在看病基本上都不用出村了。

张主任：老李，村村建有卫生室是省政府着力开展的一项惠民工程，也就是咱前面说的"五个全覆盖"其中之一。目前这项工程在全省全面推进。省里还拿出6000多万元补助村里的医生。到了明年，在全省的任何一个行政村看小病都不用出村、中病不用出乡、大病不用出县，疑难重症再到大医院。

老 李：我觉得这是一个好政策。像我这样上年纪的，看病确实是方便多了。可是万一得场大病，卫生室还是看不了。

小病不出村，大病有保障。

王支书：老李，村里的卫生室只有简单的医疗设备，看小病合适，看大病就要到条件稍微好一点儿的大医院了。

老 李：但是大医院贵啊！

王支书：不

是说过嘛,包括你在内,咱村人基本上参加了新农合,看大病是可以按比例报销的。

张主任:王支书,你们村新农合的参保情况如何啊?

王支书:咱村现在新农合的参保率已经达到了95%,绝大部分人都享受到了新农合的好处。

张主任:过去,"看病难、看病贵"一直是农村的一大难题。从2003年开始,本着多方筹资、农民自愿参加的原则,新型农村合作医疗的试点地区正在不断地增加。截至2008年底,全国已有近3000个县开展了新型农村合作医疗,参合农民有8亿多,参合率超过了90%。到目前为止,我省参加新型农村合作医疗的农民已经有2000多万人,农民参合率达到92%,高于全国水平,已基本实现了全省115个涉农县全覆盖。

王支书:目前,我们这里患病的农民已经基本实现了"小病不出村、大病不出乡"的愿望,而且大病小病都能进正规医疗机构接受治疗。有的地方还采取措施,开展医疗卫生下乡活动。我看到报纸上说,太原市就建立了农村巡回医院,有20多辆卫生支农车和巡回医疗车,由专家带队到村里给农民看病。

张主任:除了这些医疗支农的措施外,还是要靠新农合这样的制度来保障。新农合制度是由政府组织、引导、支持,农民自愿参加,个人、集体和政府多方筹资,以大病统筹为主的农民医疗互助共济制度。它建立的目的就是为了重点解决农民因治大病而出现返贫的问题。2009年,我省出台多项措施,提高农民"参合"积极性。不仅规定全省筹资标准统一定为100元，而且还扩大补偿范围，把恶性肿瘤、慢性肾功能衰竭透析、白血病门诊治疗费用纳入住院补偿范围，报销比例和封顶线可参照住院补偿标准，起付线原则上每半年计算一次。总体上看，对于农民大病、重病，需要住院做手术的情况，基本上做到了一半的费用可以报销，大大减轻了农民看病的负担。

王书记：报纸上说，最近省里召开了新型农村合作医疗工作会，参合农民人均年筹资额将增加到150元，在50%的县推广门诊统筹、参合孕产妇在乡镇卫生所正常生产将享受免费，将参合农民住院补偿的封顶线提高到不低于4万元，达到全省农民人均收入的9倍以上。这些政策调整将为农民的看病就医提供更大方便。

张主任：我给你讲一个真事儿。内蒙古鄂尔多斯市牧民米贵亮患了鼻咽癌，在当地医院做手术花了6万多元，全家债台高筑。幸运的是，他以前交了10元钱，参加了新型农村合作医疗。结果，医药费报销了2万元，同时又得到大病困难补助2.5万元。一提起这事，老米就感慨不已，如果没有新农合，他们全家早就被拖垮了。

老 李：咱村的杨继英患上骨髓瘤，治病花了2万多元，幸好新农合给她报销了1万多元，要不她家孩子就得退学了。

王支书：参加新农合的农民都说好，说它是"农民健康的保护伞"。

老 李：张主任，有些人特别穷，新农合报销上一部分，剩下的还负担不起咋办？

张主任：问得好。政府在建立新型农村合作医疗制度的同时，各地也同步建立了农村医疗救助制度。医疗救助的对象主要是农村"五保户"和贫困农民家庭。对新农合补偿后个人医药费用仍难以承担的贫困农民，要再给予适当的医疗救助。这在一定程度上解决了困难农民无力参合和无力支付大额医疗费用的问题。

王支书：政府就是通过实施新农合和农村医疗救助制度，减轻农民因治病增加的经济负担。从我们村来看，这两年农民看病就医难的问题得到了改善，小病拖、大病捱的情况减少了，因病致贫、因病返贫的状况也缓解了。过去"救护车一响，一头猪白养"的现象得到了改变。

老 李：参加新农合后，我们农民再也不用为生大病犯愁了。

娃儿们上学放心啦

张主任：王支书，你家儿子现在也该上中学了吧？

王支书：都上初二了。

张主任：上学的地方离家远吗？

王支书：在乡里，不近。不过住校呢。现在咱乡里建设了高标准的寄宿制学校，教室宽敞明亮，每间教室都安装了电视机。宿舍舒适整洁，还配备有生活教师。餐厅干净卫生，学生们的饮食都是按营养食谱搭配的。学校还有新建的标准运动场、微机室、语音室、实验室、图书室、多媒体远程教室。这些设备不仅建设规格高，而且不用家长掏一分钱，减轻了农民的家庭负担。

老 李：还是寄宿制学校好啊！想我娃那会上学的时候，每天往返十来里路去中心联校上学，经常是"早晨上学数星星，晚上放学看月亮"啊！

张主任：2004年，我省开始实施的农村寄宿制学校建设工程，使农村孩子告别了早出晚归跑校的日子，有效保障了农村义务教育的贯彻落实，杜绝了因地理条件而造成的辍学和失学现象。

王支书："两免一补"也给农民减轻了很大的负担。咱村学校的校长就对我说过，从前他每年

最怕收书费，每到这时候，一些家长就找学校，要求缓交书费。虽然国家那时也有免除家庭困难学生书费的规定，但是经济困难的学生多，所以只能给最困难的学生免。这样就造成了有的免有的不免，往往引起矛盾和纠纷。

张主任：是的，国家富强，教育为本。2006年国家修订颁布的《义务教育法》规定，"实施义务教育，不收学费、杂费"，从法律的层面确立了义务教育经费的保障机制。2007年，全国在农村义务教育免交学杂费的同时，还免收教科书费，让1.5亿学生受益。我省从前年开始实施农村

义务教育经费保障机制改革,全部免除了农村义务教育阶段学生的学杂费,为家庭经济困难的学生免费提供教科书,对困难的寄宿生给予生活补助。从2008年起,我省还免除了农村义务教育阶段学生的教科书费。长治等地在实现9年义务教育的基础上,还开始尝试"12年免费义务教育",从小学读到高中,12年全免费!

老　李:以前上小学都难,现在咱村里光大学生都出了十几个了。隔壁老刘家小儿子前几年考上了大学,家里没钱供不起。没想到学校主动给提供了助学贷款,总算没有耽误孩子念书。

张主任:贫困地区大学生交不起学费的问题由来已久。为了让贫困学生上得起学,国家建立健全了对普通本科高校、高等职业学校和中等职业学校学生的国家奖学金、助学金制度,形成以国家奖、助学金和助学贷款为主体,勤工助学、特殊困难补助、学费减免有机结合的"奖、助、贷、补、免"的资助体系。这些政策实行后,国家财政和各个学校用于资助困难学生的经费每年大概是500个亿,资助的学生是2000来万。其中高等学校的资助面达到25%以上,中等职业学校的资助面达到90%以上。

王支书:总而言之,义务教育的责任更加清晰了,大家对娃儿们上学也就更放心了。

张主任:这些好处是老百姓能实实在在感受到的。近些年来,中央不断出台新的政策,加大对农村义务教育的投入。为保证农村中小学校的正常运转,我省于9月初还下发了2009年秋季学期农村中小学校公用经费资金7.7亿元，已经拨付到了各县开设的农村义务教育经费专户内。我省还在改善农村办学条件方面做了大量工作，新建或改扩建了一批农村寄宿制学校，很多人都有这样的感受：学校已经成为农村中最漂亮的建筑。

老　李：对、对、对，咱村的小学还就是好呢！

张主任：不仅农村义务教育，特殊教育学校的学生也受到更多的呵护。近两年，全省各级政府对残疾儿童义务教育进行重点专项扶持，使残疾儿童与其他儿童同步接受义务教育，有效提高了残疾儿童义务教育入学率。

王支书：农村人文化水平低。以前很多人上完小学就不念了。不是不想念，是念不起。现在可不一样了，国家有了奖学金、助学金制度，只要你愿意念书，读到博士都不用愁！

老　李：真是赶上好时候了！以后咱农村的娃儿们再也不用为上不起学、念不起书发愁了！

养老保险让咱过好后半生

王支书：电视上说，咱省去年在全国率先启动了新型农村社会养老保险工作，农民养老将再无后顾之忧，离"退休"不再遥远了。

老　李：农民"退休"？听起来可是个新鲜事。

王支书：老李，有些试点地区的农民提起养老保险政策有说不完的话。农村养老保险对农民老了有好处，不用再依靠儿女了，就跟城里有工作的人一样月月能领工资了。

张主任：我省从今年开始，在清徐县等22个县、市、区开展了新型农村社会养老保险的试点工作，惠及330余万农业人口。这项工作以后要逐步扩大试点，到2020年前基本覆盖全省。

老　李：这具体是个啥？

张主任：新型农保和原来咱们推行的农保不同。原来的农保完全是个人缴费、储蓄积累的模式。新型农保实行的是个人账户与基础养老金相结合的制度。它的资金通过个人缴费、集体补助、政府补贴三种方式筹集。其中，个人缴费、地方政府、村集体的缴费补助全部计入个人账户；政府补贴部分计入基础养老金，纳入当地社会保障基金财政专户管理。农民每

新型农村社会养老保险

新农保基金由个人缴费、集体补助、政府补贴构成。年满16周岁（不含在校学生）、未参加城镇职工基本养老保险的农村居民，可以在户籍地自愿参加新农保。

在个人缴费方面，参加新农保的农村居民应当按规定缴纳养老保险费。缴费标准目前设为每年100元、200元、300元、400元、500元5个档次，地方可以根据实际情况增设缴费档次。地方政府应当对参保人缴费给予补贴，补贴标准不低于每人每年30元，中央确定的基础养老金标准为每人每月55元。

新农保制度实施时，已年满60周岁、未享受城镇职工基本养老保险待遇的，不用缴费，可以按月领取基础养老金，但其符合参保条件的子女应当参保缴费；距领取年龄不足15年的，应按年缴费，也允许补缴，累计缴费不超过15年；距领取年龄超过15年的，应按年缴费，累计缴费不少于15年。

月只要缴纳15元养老金就可以享受到政府每月30元的补助，有些地方的补助标准更高，能达到50元以上。

王支书：我也觉得养老保险这个想法比较长远。给村民发一袋面、一壶油不如帮助老百姓解决养老的后顾之忧。发动群众参加新型农村养老保险，从根本上解决了农民养老的问题。

老 李：过去，一提起城里人退了休能领养老金，咱农民就羡慕得不行。只能是盼望着生个儿子，养儿好防老。现在好了，今年加入了新农保，咱农民以后也能像城里人一样领到养老金了。

养老保险让咱过好后半生。

王支书：去年政府发了文件，我们村也在试点范围内。村民们对于新农保很感兴趣，参与的热情也非常高。现在已经有一多半人都参加了。

张主任：你们工作开展得不错。新农保是我们国家继取消农业税、农业直补、新型农村合作医疗等政策之后的又一项重大惠农政策。广大农民在"种田不缴税"、"上学不缴费"、"看病不太贵"的基础上，又向"养老不犯愁"迈进了一步。新型农保彻底改变了过去中国农民养老靠土地、靠子女的传统方式。对那些年满60岁的农民，如果其子女按要求投保，这个老人从当月开始就可以领取由政府发放的每个月50块钱的基础养老保险金。按照中央的要求，新型农保在2020年以前要覆盖全国。从我省来看，全省参加农村社会养老保险的人数已经有200多万人，基金积累规模达12亿元，全年将实现覆盖300万农民的目标。这也是工业反哺农业、城市反哺农村的重要渠道。

老 李：俺60多岁的人，想不到老了老了，领上工资了。这后半生没人管也不愁喽。

张主任：针对目前面临金融危机、财政收入减少的情况，我省各级政府及时调整财政支出结构，"钱紧"但不"紧"新农保。政府尽最大努力优先安排新型农保专项资金和业务经费，目前对符合条件的试点县的配套资金已全部拨付到位，省财政全年补贴新农保资金将超过4.5亿元，农民朋友大可放心了。

计划生育的国策不能松

老 李：县乡计生工作人员下午要来咱村人口文化大院给村民们免费体检、看病，我得看看去。

张主任：老李挺爱凑热闹。

老 李：可不是去凑热闹。计生干部要送奖金来了，俺去替俺家老二领奖金。

张主任：奖金？是不是独生子女奖励费？

老 李：是啊，俺家老二就生了一个女儿。

王支书：一个多好，最起码经济上能得实惠。

老　李：俺们家以前总觉得老二要再生一个男孩，老了好有依靠。现在看到别人领了独生子女证还有奖励金，60岁以后国家还给每年600元的养老金，养老没有后顾之忧了，俺家也动了心，就动员老二要尽快领证。

王支书：以前，像老李这样有"养儿防老"观念的人在农村非常普遍。但"生男生女都一样"的观念现在还是被越来越多的人接受了。过去村里的老人觉得没有一个儿子在身边，生活上没有保障。但如今，更多人体会到了政府对老年人物质和生活上的关怀，越来越没有了后顾之忧，便积极鼓励自己的孩子出外打工，或者搬出去单过。

老　李：就是这个理儿。俺早就想开了。俺家老大生了个男孩，老二生了个女孩。刚开始俺和俺家老伴给老大什么都有，老二什么都不给，就想让老二家再生个男孩。

王支书：老李，这你就有点偏心了。

老　李：是啊。后来听了计生干部的宣传讲解，俺也就慢慢开了窍。人家自愿领取独生子女证的家庭还有奖励。虽然不是什么大数目，但这是党和政府的关怀，这是一种地位啊！俺以前真是个榆木疙瘩。

张主任：刚才听了你们的话，尤其是老李思想的变化，我感受很深。这些变化，是受到几千年封建社会影响的中国农民在婚育观念上的转变。落实计划生育奖励扶助政策，不仅解决了农村计划生育家庭的实际困难，使他们得到了经济上的实惠，更重要的是，提升了计划生育户的地位，营造了计划生育光荣的氛围。近年来，农村部分计划生育家庭奖励扶助制度标志着我国计划生育已由过去以"处罚多生"为主，转向既要依法处罚多生，更要奖励少生的政策上。

王支书：这也反映了计划生育这项国策搞得扎实、搞得贴心啊！以前计生干部一来村里，村民们能躲就躲、能跑就跑。现在计生干部来了，大家奔走相告，像见到亲人一样欢迎。计生干部们来到村里，不是免费检查、搞服务，就是送致富信息，今天还给大伙儿送奖金来了。在大家心里，计生干部已经成了群众的贴心人。

张主任：我们国家人多、底子薄，人口问题是大事情。计划生育抓不好，引起人口生育的反弹，我们国家资源的承受能力、整个社会的管理和服务能力、人的素质提升等都会出现大问题。真到了那时候，不用说发展，连稳定都搞不好，哪有咱老百姓的好日子？我们认识上的偏差、工作上的失误和外部环境的不利影响都可能对计划生育造成影响。计划生育是国策，绝对不能松。实行计划生育20多年来，我国的生育水平明显降低。从20世纪70年代的每对夫妇生育5.8个孩子下降到了1.8个，我国已经进入了低生育水平国家的行列。

王支书：这真是个可喜的成就。我们国家现在是世界上的第一人口大国，计划生育的国策确实要坚决执行，不能松。

张主任：但我国现行生育政策不是全国"一刀切"，更不是所谓的"一胎化"。生育政策在地区之间、城乡之间、汉族和少数民族之间都有所区别，那就是：农村宽于城市，西部宽于东部和中部，少数民族宽于汉族。

王支书：这是在综合考虑国家长远利益与群众实际需求的基础上作出的决策。

张主任：对。我们国家实行计划生育政策是希望公民按计划生育，不是鼓励不生。人们有权生、有权少生甚至不生。

农民也能当明星

王支书：老李，咱普通老百姓也能当明星啦，你信不信？

老 李：明星？演电影的明星？

王支书：咱这里说的"明星"可不仅仅是你说的这种。江西吉水县有个叫陈福庆的农民，他把自己和家里的果园、家居都拍成照片，然后制作了200本挂历发给村民，大大地过了一把"明星瘾"。

老 李：那可真是在村里出名了。

张主任：这个想法挺好的。近20年来，电影、电视明星一直是悬挂在农民家里挂历上的主角。如今他们开始让自己替代明星，成为悬挂在自己厅堂上的主角和别人家里的明星了。

王支书：这体现了一种观念的变迁。农民的想法也越来越开放了。

张主任：是啊！这一现象不仅是农村和农民文化意识的提升，更标志着农民在新农村建设中开始真正以主人的角色构想自己的未来了。

王支书：在2008年召开的十一届人大一次会议上，不是还有三位农民工当选为全国人大代表吗？他们成了全国都知道的"明星"了。

张主任：是啊。过去30年里，中国经济快速发展，总数超过1亿的农民工功不可没，扮演了不可替代的重要角色。他们三人能成为人大代表，说明我们国家民主参与的广度在不断扩大，越来越多的利益群体能够参与到政治决策的过程中，对政府决策的公平性、公正性以及合理性产生了积极的影响。这不仅具有象征意义，更具有现实意义。

老　李：全国那么多农民工，才有三个成为全国人大代表。俺觉得，这明星当得太难了。

王支书：这三人的确是不容易。但要当"明星"，说难也不难。只要你在你这一行做得出色，还是有很多机会的。

张主任：王支书说得对。浙江瑞安有个青年农民叫王步仕。他利用农业废弃物致密技术，用柴草、锯末、稻壳制成一种无烟无味、无污染、无残渣的炭棒。这种产品的燃烧时间是普通木炭的3倍，可作为冶炼、翻砂、化工、烧烤及食品等行业的燃料。他依靠自身的努力，走出了一条开发新能源的路子。许多专家都向他请教制炭工艺。他成了真正的"草根明星"。

王支书：王步仕就是普通的农民。人家不是也出名了吗？咱省吕梁市柳林县的残疾青年刘笑，只有高中文化程度。但是凭着苦干实干，发明了五项抗旱专利技术，成了省委联系的高级专家。还有临县一个青年农民，叫王小帮，在北京打了几年工后回到村里，在淘宝网上开了个网店卖当地的红枣、核桃等土特产。人家为此还上了中央电视台露脸，成为全国农民网上创业的典范。你说，这种"明星"不难当吧？

老　李：看来我也能当明星。不过要好好提高自己。

张主任：老李，越来越多不同身份的农民通过报纸、电视等成为众人皆知的"明星"，这说明广大农民不仅在经济、生活地位上有了提升，而且在政治地位上有了提高。这是一个良好的开端，是一个具有深远意义的开端。

文化站让咱亮堂堂

张主任：王支书，我看到你们村新建了个文体广场，修得很不错。

王支书：这是咱村去年才建起来的。目的就是为了丰富村民的文化生活，让村民们有个休闲娱乐的去处。现在，晚上到广场上活动休闲，或看或演、或唱或跳，已经成了村民的习惯。

老　李：现在农业机械化水平高了，农民不用像过去一样在地里死受了,也有了空闲时间了。晚上到广场上唱一唱、跳一跳,就觉得浑身自在了许多。自打村里修起了文体广场,出现了场地一早要"占"、晚上要"抢"的现象。早上,老年人"占"乒乓球台,夏天5点来钟就得去。妇女们要"占"场地扭秧歌、打腰鼓、跳健身操和交谊舞。晚上,后生们"抢"篮球场,还经常叫来外村的球队比赛。

王支书:村里现在还建了文化活动站,配备了1000多册图书。那些能唱的、会跳的、吹八音会的,还组织了一支宣传队,自编自导自演,展示农村的新人新事新气象,不定期为村民表演。

老　李:今年迎国庆我们还组织了"爱祖国、爱家乡红歌大家唱"比赛,还有农民书画摄影展。我家二小子拍的照片还得了个奖。

张主任:老李,经常去村里的文化站吗?

老　李:去啊。有不懂的去了问,年轻人就帮我上网查。有了文化站,挺顶事,心里啥都明白了。

王支书:我们村的文化站还是很热闹的。村民们在那里看书学知识,在电脑上

文化站让咱心里亮堂堂。

查致富信息,看科教片,销售农副产品,打牌下棋,作用发挥得还不错。

张主任:看来还是很受欢迎。很好。在加快农村经济发展的同时,我省十分重视农村文化建设。除常年坚持开展文化、卫生、科技"三下乡"活动外,许多地方如长治、晋城等地,由政府财政出资进行政府采购,扶持贫困村镇,保证那里的村民每年都能看到戏和电影。太原在"政府补贴、群众看戏"等方面积累了积极的经验。特别是加快实施农村广播电视村村通工程、文化信息资源共享工程、农家书屋工程、农村电影放映工程和乡镇综合文化站工程等文化惠民工程,目的就是要完善公共文化服务体系,解决好基层群众看书难、看戏难、看电影电视难的问题,为老百姓提供健康有益、丰富多彩的精神文化产品。省里每年为农村文化建设投入1亿以上。每年为农民送新书和新戏的资金投入不低于400万元,并要求各级政府拿出配套资金。省财政在"十一五"期间逐年安排支持革命老区和贫困县农村文化建设专项资金,对县、乡、村三级文化服务网络进行扶持。

老 李:从前电视节目少,只能收到两三个频道,自打实施了"村村通",能收四五十个台,新闻、电影、连续剧、戏曲……各种节目应有尽有,想看啥就看啥。

王支书:实施了"村村通"工程后,咱村目前有线电视的入户率已经达到了90%,村民们看到的节目多了,信息量大了,眼界开阔了。

老 李:村里的文化生活确实是丰富多了。

张主任：我省还启动了"农村网络文化站"建设工程，对农民进行网络知识培训。农村网络文化站使互联网走进了偏僻的山村，走进了农民的生活，改变了山西农村千百年来城乡信息不对等的状态。

王支书："秀才不出门，尽知天下事。"在以前，这是个形象的比喻。如今的网络时代，这句话已经成为现实。网络文化站的建立，就是政府为咱老百姓设的一个互联网平台，为农民"打开一扇看世界的窗口"。在文化站里，网络可以让咱老百姓心明眼亮、耳聪目明。

张主任：我有很深的体会。农村网络文化站为农民致富提供了便捷的信息通道。晋中市榆社县桃阳村的网络文化站一开通，就在网站上公布了桃阳村的土质情况和自然气候条件的介绍。没过多久，一家跨国种子公司主动找上门来谈合作。经过洽谈，这个名不见经传的小山村签订了有史以来第一份与大公司合作的协议。忻州市静乐县的赤泥洼乡几年前曾被人戏称为"被世界遗忘的角落"。文化站建立后，这里的面貌马上发生了变化。村民上网查价格、查政策、选择良种、销售和采购，学生在网上听课。赤泥洼人建设新农村的热情空前高涨。

农村文化消费增长迅速

随着农村的发展，农村居民越来越意识到知识和信息的重要性，对文化教育等发展性投入不断增大。农村居民家庭人均文教娱乐用品及服务支出由1980年的8.3元增加到2008年的314.5元，增长36.9倍，年均增长13.9%，占消费性支出比重由5.1%上升到8.6%。

老　李：这正是，农村实现信息化，坐在家里识天下啊！

张主任：农民在逐渐解决了温饱问题后，生活方式也发生了改变。"生活奔小康，身体要健康"成为共识，农民参与体育健身活动的需求大为高涨。从2006年开始，全国开始实施"亿万农民健身工程"计划。各级政府出资、行政村出地、农民出力、体育部门配备体育器材，在没有公共体育场地和设施的行政村建设以混凝土篮球场为主的健身场地，我省的"农民体育健身工程"自2006年开始试点以来，进展顺利，每年都以5000个行政村的速度推进。

在"十一五"期间，全省体育场地建设要达到"一县一中心、一乡一广场、一村一场地"的目标，力争2010年实现全省人均体育场地面积1.4平方米。

王支书：张主任，听说咱们省有个"百镇千村大运体育走廊"工程？

张主任：对。为在农村开展全民健身运动，丰富农民的文体生活，我省筹集资金2140多万元，在大运高速公路沿线实施"百镇千村大运体育走廊"工程，使沿线的200

多万农民得到实惠。他们说,建起一块篮球场,就少了10个赌场,老百姓就多了一份健康。大运体育走廊的建成,走出了建设农村体育设施的新路子,成为全国农村体育活动基地示范项目,还被国家体育总局列入中国全民健身著名景观。

老 李:听人说运城市夏县的体育健身搞得好,还得到温总理的表扬呢。

张主任:是的。夏县提出了"把农村健身器材安起来,让群众健身热起来,使农民日子火起来"的目标。他们从已经建起的55个生态园林村中选取10个"体育文化园林村",实施"五化"、"六有"标准,即"绿化、香化、净化、硬化、亮化","有村民健身广场、有体育健身器材、有标准篮球场、有街心花园、有文化图书室、有文体娱乐表演队"。每个园林村由村里提供场地,健身器材由体育局以体育彩票公益金支持一部分,其余由县直单位捐赠。温家宝总理在夏县考察时对该县的体育文化园林村赞不绝口。

王支书:农村球场建起来了,村里的牌桌也基本上消失了。一个篮球场起到了意想不到的作用。

农村的文明要靠咱农民建

张主任:当年横七竖八的羊肠小道,现在变成了平坦的马路;过去高低不平的住房,如今变成了整齐的民居……王支书,你们村里现在处处洋溢着新农村的气息啊!

王支书:张主任,过奖了。实话说吧,一直以来,我们都被一个问题困扰着。虽然物质条件好了，多数老百姓都住进了新房，可大伙儿从习惯上看，还达不到文明生活的要求。比如用木料在大门口搭个棚子、将旧家具堆在路边、乱堆乱倒垃圾等现象还存在。

张主任：由此可见，提高村民的文明素质，是建设新农村的重要任务，也是农村精神文明工作的关键。你们村也有十星级文明户之类的创建评选活动吧？

王支书：有啊。我们村10多年前就开始十星级文明户创建了。刚开始，好多村民都不以为然。可是慢慢地，大家都发生了变化。比如我们村张冬花不注重邻里关系，不关心集体，在评选中就摘去了她家邻里和睦星和应尽义务星。这对冬花触动很大。后来，她不仅主动同邻里和好，而且还积极承担村里的各种义务。大家说，"十星级文明户"创建还真管用。

老 李：村看村、户看户，星多星少是尺度。张主任，咱大伙儿的素质要提高啊！

张主任：可提高村民文明素质的突破口在什么地方呢？我觉得首先要培养大家的集体意识。没有集体意识，就不会有村民的齐心共建，村民就没有集体荣誉感。现在有些人对公益事业不热心，既不出钱也不出力，只扫自家门前雪，不管他人瓦上霜。这种消极的态度不仅拖了农村公益事业发展的后腿，而且影响了群众关系，很不可取。

王支书：就是。我觉得，集体意识的培养离不开所有村民的积极参与。前年夏天，我们村举办了历史上第一届村民运动会，不仅有拔河、跳远、踢毽子等，还让村民自愿结合，进行运粮接力赛、剥玉米赛。这场运动会吸引了几乎所有的村民参加，效果不错。

张主任：这个办法好。村民可以在一起培养协作精神、集体意识。

王支书：除了运动会，我们还举办了很多群众参与性强的活动。比如去年举办"一家亲"迎奥运纳凉晚会，举办以培养农村孩子良好习惯为主题的"母亲学堂"等各种形式的主题活动。通过举办这些活动，村民旧有的陋习在逐渐消失。以前对侵害公利的违章搭建、乱停乱放等行为，大家视而不见。现在就不一样了。不用干部们管，自己就觉得不好意思。去年为了迎奥运，我们还给每位村民免费发了一本《文明礼仪手册》，让大家对照学习，进一步提升自身的文明素养。

老　李：我们村还成立了"红白理事会"呢。

王支书：老李就是会长。谁家有红白事务，理事会出面统一办理。一方面杜绝了各种迷信、浪费、攀比的现象，一方面也方便了大家。村里现在可以说是干群互助、邻里和睦，尊老爱幼蔚然成风。

张主任：新农村建设不仅经济要搞上去，村容村貌也要改善。特别是村民的文明程度更要提高。

老　李：农村的文明就要靠咱农民建。

信教首先要爱国

张主任：王支书，咱们村信教的群众多不多？

王支书：不多。信奉天主教的，也就二三十个吧。

老　李：我家老大家媳妇就信天主教，每周都要去村里的教堂祷告。

张主任：在我们国家，公民的宗教信仰是自由的。既有信仰宗教的自由，也有不信仰宗教的自由；有信仰这种宗教的自由，也有信仰那种宗教的自由。信教的公民与不信教的公民享有同等的权利和义务，任何国家机关、社会团体和个人不得限制公民信仰宗教或者不信仰宗教，不得歧视信仰宗教的公民和不信仰宗教的公民。

王支书：在咱这一带倒没有这些限制啊、歧视啊什么的问题。信

宗教信仰的有关政策

（1）公民有信仰宗教和不信仰宗教的自由。（2）宗教必须在宪法、法律和政策范围内活动。（3）各宗教一律平等。我国的佛教、道教、伊斯兰教、天主教和基督教不论信众多寡、影响大小，在法律面前一律平等，没有占统治地位的宗教。（4）宗教与国家政权分离。按照这一原则，任何人都不得利用宗教干预国家的行政，不得干预司法、学校教育和社会公共教育。（5）国家保护一切在宪法、法律和政策范围内的正常的宗教活动。（6）无神论与有神论之间相互尊重。任何人都不应到宗教活动场所进行无神论的宣传，或者在信教群众中开展有神还是无神的辩论。（7）宗教团体和宗教事务不受外国势力的支配。

教的人也都是些普通村民，村里的活动他们也都积极参加。

张主任：这就好。国家的法律也规定，公民在享有宗教信仰自由权利的同时，必须承担法律所规定的义务。不管是谁，任何人、任何团体，包括任何宗教，都必须维护人民的利益，维护法律的尊严，维护民族的团结，维护国家的统一。这可不管你是不是信教，一概不能例外。国家保护一切在宪法、法律和政策范围内的正常的宗教活动。谁也不能利用宗教破坏社会秩序、损害公民身体健康，更不允许利用宗教进行反对党的领导和社会主义制度、破坏国家统一和民族团结的活动。

老　李：信教首先要爱国！

王支书：这是当然。咱村有一个上世纪70年代就开始信教的天主教徒，叫王根喜。他还是很不错的，经常向信教的群众宣传党的民族宗教政策，让信教群众明白什么是合法的活动、什么是非法的活动。他在村里属于德高望重的人。

张主任：就是要发挥好这种积极性。要通过这些宗教人士来教育更多的信教群众，维护我们的社会稳定，珍惜我们来之不易的好时光。国家的发展需要一个团结、和谐、安定的环境。咱们也要教育信教群众明辨是非，不要让别有用心的人利用了。

老　李：咱首先是中国人，先爱国再信教。这个道理老汉我也懂。

打黑除恶才能保平安

张主任：老李，咱村没有黑恶势力吧？

老　李：黑恶势力？就是地痞流氓吧，没有，俺村不出这种东西。

王支书：到目前来看，还没有。

张主任：这说明咱们这里没有黑恶势力滋生的土壤。现在，有的地方，黑恶势力有所抬头。特别是在一些落后地方的农村，青壮年劳动力大多外出打工，农村出现了空心化、老龄化现象，形不成有效制衡，致使黑恶势力横行。

老　李：有这么严重？岂不是成了电视里演的"黑社会"？

张主任：那倒不至于。但大家还是要高度重视这个事情。目前有些现象要加以改变。一个是一些地方对乡村治理不作为，认为税也不收了，村民也自治了，不需要政府管，结果形成了社会治安的"真空"地带。这是非常错误

的。还有就是乡镇政府管理人员减少，在一些地方弱化了对农村的监管力度，使非法行为有机可乘。这样，流氓恶势力以及"地痞村霸"就有了活动的空间。有的侵占集体财产，盗窃牲畜、农电等生产资料，有的盗窃能源、交通、通信等设施，还有的非法采矿、非法占用农田，破坏农村环境资源，已经严重影响到农村的发展。

老　李：这个事情政府要重视。

张主任：政府重视是一方面，村民们也要重视起来。有的地方的黑恶势力已经发展到对农村基层组织的侵蚀上，采取各种非法手段操纵选举，争当村干部。有的甚至与合法参选人争村支部书记，争村委主任。

老　李：这个事可了不得。要让他们掌了权，那还能有咱老百姓的好活？

张主任：在一些地方，黑恶势力表现得还比较严重。他们通过砍杀角逐，不择手段培植"黑色产业"，通过培养"代言人"为其发展"黑色经济"披上合法的外衣。这些黑恶势力"掌权"后，往往更加有恃无恐，贪污、侵占集体资产，甚至将村委会的财力、人力用于黑帮发展，村民稍有不满便会遭到打击、报复。

老　李：那岂不是无法无天了？

张主任：湖南娄底市就破获了一起以刘俊勇为首的特大涉黑案。这个团伙的"二号人物"叫廖建伟。他哥廖建新就是村委会主任。哥哥通"白道"，弟弟通"黑道"，村民敢怒不敢言。

王支书：农村黑恶势力不扫除，后果简直不敢想象。

张主任：所以说，打击农村黑恶势力在许多地方来说，是个非常重要的任务。一方面，政府要加大力度，狠狠打击。另一方面，村民要有警惕性，支持那些真正为村里办实事的干部，不要被那些别有用心的人用小恩小惠拉下水。

王支书：公安部门也应该多渠道收集信息，真正做到"耳聪目明"，发现问题，坚决打击。

张主任：近几年来，我省加大了打击黑恶势力的力度，仅2006年以来就打掉200多个黑恶势力犯罪团伙。特别是铲除了一批横行乡里、欺压百姓的农村恶势力，对一些犯罪突出、治安混乱的农村地区进行集中整治，撤换了极少数依靠暴力、贿选手段上台的黑恶村官，有力地巩固了农村基层政权。

老　李：打黑除恶才能保平安啊！

稳定才能有发展

张主任：王支书，村民们有什么问题，在村里都能解决了吗？

王支书：村民们有什么自己解决不了的事情，一般都会来找村"两委"干部，让干部帮助协调解决。咱村里基本上不存在老百姓群体性事件及上访的情况。

老　李：这十几年了，我就没见过村里有谁去上访，更别说群体上访了。没那个必要。

张主任：这说明咱村比较稳定，"两委"班子工作得力，管理有方。

老　李：还可以吧。张主任，其他地方的上访主要反映什么问题？

张主任：这就复杂了。随着经济社会的快速发展，出现了许多过去没有的问题。比如农业结构调整、公益事业占地、干部不廉洁等，处理不好都可能诱发上访。

王支书：这说明村干部没有把问题处理好，出现这样的情况不应该啊。

张主任：就上访这件事来说，情况比较复杂。除了极个别人别有用心、企图制造混乱外，绝大多数群众都是遇到了难事。分析其中的原因，有的是群众对政策不了解，有的是我们的工作没有做好。虽然有些问题不是因为本村造成的，但就"村"这个层面来看，主要工作还得靠村"两委"班子。有些村，干部把规章制度当摆设，政策标语挂在街上，写在墙上，就是没有记在心上，更没有落实到行动上。有的干部以权谋私，失去了群众的信任。还有的是干部没经验，不会处理问题，反而把小事弄大了。群众遇到不明了或者有困难的事情，正常渠道解决不了，就开始上访。

王支书：这就要求我们村"两委"班子要加强民主管理，让群众信任我们，遇到事情愿意依靠村委班子来解决。

张主任：王支书，你的觉悟很高啊！实际上，只要村干部能够主动坚持用制度约束自己，把矛盾解决在萌芽状态，群众就"无访可上"，更不可能形成什么群体性上访事件。据我了解，当前农村民主管理存在的一个问题就是大原则多、大政策多，缺乏操作性强的措施。针对这种情况，许多村因地制宜建立了受大家欢迎的管理制度，并且长期坚持下来，避免了"一言堂"和"糊涂账"，促进了干群关系的和谐。

老　李：也有那糊涂人呢。

张主任：确实也存在个别人不明事理、盲目上访的情况。国家各项涉农政策先后出台，有的人对政策了解不够，在出现矛盾问题时，没有真正弄清政策，只要觉得触犯了自家利益、吃了亏，就盲目上访。这种现象也是存在的。

王支书：我觉得我们要加强对政策的宣传，让群众尽可能地多了解、多掌握。

张主任：还有就是方法不对头、态度不对头。村民有了困难，向干部反映。有的干部，要么是漠不关心，要么是处理问题简单化，要么就想趁机捞点好处。不仅解决不了问题，还伤了大伙的心。其实有许多问题本来就是小事，干部应该和风细雨，多做解疑释惑的工作。只要耐心细致，讲道理、摆事实，急群众所急，人都是通情达理的。

老　李：将心比心，以真心换真情嘛。

王支书：干部的责任心应该增强，素质也要提高。

张主任：虽然说农村上访是困扰基层工作的难题，但我省有许多多年甚至几十年没有一例上访的农村。这些村在班子建设、村务管理、经济发展等方面都独具特色，它们的经验值得借鉴。

王支书：给咱也说说吧！

张主任：吕梁的临县玉荐村，是个2000多人的山区村。这个村保持了8年的"零上访"。主要原因就是他们村务公开的程度高,村干部的行为规范,群众制定了村规民约,规范了大家的行为。农村发生上访一般有两种情况。一是没有钱,大家为了争利,矛盾就多了;二是富裕了,钱花不好,矛盾也就多了。把国家和集体的资金用在改善村民生活水平方面,每件事都主动接受群众监督,哪里会有矛盾和上访发生?晋城市城区牛山村这些年就探索出农村信访工作的新思路。村里成立了调委会和治保会联合办公的制度,专门来调解矛盾、制止纠纷,很好地维护了村民关系的和谐与村情的稳定。30余年来,该村共调处矛盾纠纷近千件,没有一件上交过,也没有一起激化过,更没有一个问题因解决不彻底而造成越级上访。

王支书:这说明人家的村干部有头脑,善于做农村基层工作。

张主任:针对农村上访问题,村干部要避免"越堵越访、越访越堵"的恶性循环。有些"无上访"村遇到"内在矛盾"能够集体商议解决,遇到"外部矛盾",干部积极

反映村民的呼声。所以说，只要村干部心里装着群众，真心实意地为老百姓排忧解难，上访的问题就好解决。

老　李：只有咱农村稳定了，大伙才有精力好好发展经济啊。

防灾减灾是件大事情

王支书：老李，咱村很快就要对民居抗震性能情况进行普查了。汶川地震时，农村民居损毁严重，伤亡很大。以前民居大多没有进行抗震设计，所以地震局要加强农村民居管理。如果大家都按照规定执行的话，就能在地震时避免人员伤亡，减少经济损失。

张主任：这是个防患于未然的好事情。我省防震减灾的目标是，在2020年农村建筑达到抗御六级地震的能力。抗御六级地震是个什么概念呢？简单地说就是要达到"少死人和不死人"。房屋的建造年限、结构、地形都能影响其抗震性能，所以在这次普查中要全部登记清楚。

老　李：是为了防灾啊，确实是件好事。

张主任：我国是世界上自然灾害最严重的国家之一。灾害种类多，分布地域广，发生频率高，造成损失重。近几年，随着全球气候变化的加剧，经济社会快速发展，灾害形势愈加严峻。做好防灾减灾工作，对于提高社会各界风险防范意识，加强综合减灾能力建设，增强应对和处置突发事件的能力及保障人民群众生命财产安全有重大意义。为此，国务院从2009年起，还将每年的5月12日定为

"防灾减灾日"。

王支书：对农村来说，防灾减灾可是件大事情。

张主任：除了抗震方面，这几年，我省气象部门还在农业增产、改善生态环境、减轻自然灾害等方面做了很多工作，有效地提高了我省防御自然灾害的能力。尤其是设立的雷达监测网，在监测干旱、暴雨洪涝、高温、雷电、冰雹、低温、冻害、雾、霾、酸雨、大气成分、沙尘暴、地质气象灾害和农业气象灾害等方面取得了突破性进展。

王支书：2008年省里还免费发放了《公众防灾应急手册》，普及防灾自救的应急知识。

张主任：王支书说的《公众防灾应急手册》，是一本既融汇了各类预防和应急知识，又图文并茂、通俗易懂的公众科普性读本。这本书针对我省常见的和可能发生的突发公共事件而编写，内容主要包括如何应对地震、大风、冰雪、暴雨、洪水、泥石流、滑坡等自然灾害，涉及防火灭火、安全用电、安全使用燃气、交通安全、核泄漏防护以及传染病防治、医疗急救等知识，并配以浅显易懂的文字表述和生动鲜明的漫画图片，为大家了解灾害的种类、特点和危害，掌握预防、避险的基本技能，提高自救、互救能力提供了简单实用的学习工具。

老 李：王支书，你有这本书吗？

王支书：有呢，要看我给你拿来。

老 李：嗯，那俺可得好好学习学习防灾减灾知识了，咱家底薄，损失不起。

张主任：除了这些事情外，食品安全也得注意。农村

地理位置偏远，村民们这方面的意识比较差。一些不法厂家、商贩向农村销售他们的过期食品、伪劣假冒食品。还有的食品本身就有问题。像2008年的三鹿奶粉事件，影响极坏，后果严重。

老 李：有的人心太黑。

张主任：还有一个非常重要的事情是农村也要建立公共突发事件的应急制度。防止灾害发生时手忙脚乱，造成更大的损失。

王支书：这个事咱可没考虑到。

张主任：不要以为农村人口少就不重视。实际上，农村的应急处置更要放在重要位置来抓。农村各种条件都比较差，交通也不便，离中心城市比较远。一旦出了事，特别是破坏性大的灾害，麻烦更多。比如"非典"发生的时候，我们就严防死守，没有造成向农村扩散的情况。如果真的扩散到农村，你们想，去哪里找那么多能治了"非典"的医院？自然灾害发生了，伤病员往哪送？

王支书：张主任，听你这么一说，这件事还真的很重要。这可提醒了我们。老李啊，你不是点子多吗？

咱得好好考虑这件事。

张主任：我看主要应该抓好三件事。第一件是要好好宣传防灾减灾知识，让大家心里清楚遇上事怎么办，怎么才能尽可能地减少损失。第二件是要建立应急机制，事先就要考虑好出了什么事该怎么应对。干部干什么，村民干什么，谁管组织，谁管联系，谁管吃住，谁管老人小孩，都要事先想好、安排好。一旦有事，大家都清楚该怎么办。第三件就是要组织演练。不要心存侥幸。你看汶川地震时，演练过的学校损失就小。因为大家不仅知道了该怎么办，还通过演练配合得更好。

老　李：的确是。防灾减灾是大事，平平安安才能求发展啊！

一山一水都是咱农民的心头肉

——谈谈健全农村发展环境的保障机制

土地是个要命的事

张主任：咱村土地人均有多少？

王支书：5亩多一点吧。原来比现在多。这些年修路、建厂、盖房，占了不少。

张主任：有没有能新开垦的？

老 李：学大寨那会儿开了不少地。这几年人们也不往土地上下工夫、想办法了。

张主任：土地是件大事情。我们农民，既要种好地，又要保护好地。2009年全国"土地日"的宣传主题是"节约集约用地，坚守耕地红线"。这是为了提高咱们关爱土地的意识，增强保护耕地、节约集约用地的责任感和紧迫感。

土地是不可再生的资源，毁了就没有了。因此，合理利用每一寸土地，切实保护好耕地，是我们国家的一项基本国策。

老　李：亲不亲家乡的山，美不美家乡的水嘛。人不亲还土亲呢。

张主任：中国人把天称为皇天，把地称为后土。传统文化有祭祀后土的习俗。"后"就是母亲，后土就是把土地当做母亲。母亲用母乳哺育我们长大，有的人却常常忘记了关爱母亲。滥占耕地，破坏环境，使母亲的身体变得伤痕累累，这种情况再也不能不管了。

王支书：现在滥占耕地的问题还是比较突出。

张主任：马克思曾经说过："土地是一切生产和存在的源泉。"人类的生存和发展，都离不开土地。耕地是土地的精华。我们消费品的大部分和95%以上的蛋白质都来自土地。其中，80%以上的热量和75%以上的蛋白质来自耕地提供的粮食。一个国家耕地的数量和质量，以及土地提供的物质的数量和质量，是国家民族生存、发展最基本的条件。

老　李：咱不会说那些大道理，但知道土地是咱农民的命根子，是咱发家致富的本钱，也是安身立命的保命田。人没工作能活，没钱也能活，但不吃饭不能活。

王支书：这话说得在理。搞土地承包，就是为了吃饱饭。有了土地，农民就有了命。

张主任：农民的问题，大多数都与土地有关。也可以说，土地的问题解决不好，农民的问题就没法解决。事实上，土地不仅是农民的问题，也是关系到我们国家发展、稳定的大问题。有人说，中国要实现工业化和城市化，一定会出现粮食短缺的问题。粮食不够了，就要靠进口来弥补。但是中国要大量进口粮食，必然会造成世界性的粮食危机。这个观点的本意是在制造"中国威胁论"。但他提出的问题很重要，我们必须认真思考。如果中国人的粮食主要靠进口，想一想，谁能为13亿人生产足够的粮食？

王支书：咱可不能靠吃进口粮过日子。且不说进口的粮食从哪里来，单说依靠进口要受制于人，咱就不能干。

张主任：中央提出保护耕地，就是要把发展粮食生产放在建设现代化农业的首位，确保粮食的安全，保住中国人的饭碗。所以中央三令五申，要求各地分担国家粮食安全责任，不能为了局部利益和眼前利益乱占耕地，自己砸自己的饭碗。

王支书：当然得把耕地当回事儿。耕地稳，农业才能稳。农业稳，社会才能稳。连我们村里也是。只要农民有饭吃，家庭就稳定，只要有钱花，家庭就和谐。

张主任：毛泽东同志当年就说过，手中有粮，心里不慌，脚踏实地，喜气洋洋。

王支书：的确是。不过咱们国家幅员辽阔，地大物博，总体上来看，问题不大吧？

张主任：你这种想法可不对。我们国家的土地问题非常严峻。国土面积是大，但耕地少，再加上人口多，自然环境复杂，这些年发展快，建设用地多。你想想，不是你说的那么乐观。现在，我们国家的耕地面积已经逼近了18

亿亩，全国664个县的人均耕地，已经到了联合国确定的人均耕地0.8亩的警戒线以下。

王支书：还真没这么想过土地的事。要这样，那问题还真是大了。

张主任：在保护耕地问题上，中央反复强调，坚持科学发展，就是要为子孙后代留下充足的发展条件和发展空间。18亿亩耕地就是后代人生存发展的基本条件。我们必须守住全国耕地不少于18亿亩这条红线，不能以牺牲后代人的生存条件为代价。在保护耕地问题上，只能给后人留下赞叹，不能给后人造成遗憾。我们这代人绝不能犯不可改正的历史性错误，否则，无法向人民交代，无法向子孙后代交代。

王支书：记得十七届三中全会对农业和土地问题做了决定，叫守住"一条红线"，严格"两个制度"，建设"两个市场"，做到"三个不得"。

张主任：你这4句话概括得很好，把国家保护耕地的基本政策都说到了。守住"一条红线"，就是坚决守住18亿亩耕地的红线；严格"两个制

全国耕地的基本情况

中国以占世界7%的耕地，基本解决了占世界22%的人口的温饱问题。1997年全国耕地19.51亿亩，到2007年还有18.26亿亩，10年减少了1.25亿亩，平均每年减少耕地1000多万亩。我国耕地可概括为"一多三少"，即耕地总量多，人均耕地少、高质量的耕地少、耕地后备资源少。66%的耕地分布在山地、丘陵和高原地区，只有34%的耕地分布在平原、盆地，还有9100万亩耕地坡度在25度以上。我国有宜耕荒地资源2.04亿亩，按照60%的垦殖率计，可开垦耕地1.22亿亩。

度",就是坚持最严格的耕地保护制度,实行最严格的节约用地制度;建设"两个市场",就是建立城乡统一的建设用地市场,建立健全土地承包经营权流转市场;做到"三个不得",就是土地承包经营权流转,不得改变土地集体所有性质,不得改变土地用途,不得损害农民土地承包权益。具体来说,还有一些内容也很重要。主要有认真执行土地利用总体规划和年度计划,坚决控制建设占地规模,划定永久基本农田,确保基本农田总量不减少,用途不改变,质量有提高。严格执行节约用地标准,控制增量,盘活存量。继续推进土地整理复垦开发,取之于土,用之于土,耕地实行先补后占,不得跨省、区、市进行占补平衡。严格界定公益性和经营性建设用地,可征可不征的尽量不征,可用可不用的尽量不用,必须征和必须用的尽量少征少用,逐步减少征地范围。

老 李:国家的法律政策要求都挺严的。但上有政策,下有对策,以租代征的,以建设名义征地搞商业开发的,投资不多、厂子不大而占地很多的,山高皇帝远,再严的法律政策,也有钻空子的。

张主任:中央强调在保护耕地问题上要求"一把手"负责。在措施上做到管住规划,管住用途。拿我们山西来说,划定的永久基本农田,2020年全省耕地保有量不低于6004万亩,基本农田保护面积不低于5088万亩。2010年完成市、县、乡土地利用规划的修编工作,实行最严格的节约用地制度。

王支书:乡里开会已经给我们传达了。今后征地,实行"六不报批"。一是对土地市场秩序治理整顿工作验收不合格的不报批；二是未按规定执行建设用地备案制度的不报批；三是城市规模已经达到或突破土地利用总体规划确定的建设用地规模，年度建设用地指标已用完的不报批；四是已批准的城市建设用地仍有闲置的不报批；五是未按国家有关规定进行建设用地预审的不报批；六是建设项目不符合国家产业政策的不报批。我们村干部肯定严格把握政策，在保护耕地问题上守住第一道关。

老　李：中央保护耕地的决心这么大，省里的规定这么细，连村干部都清清楚楚，这事儿咱就放心了。今后，不管是权大的、钱多的，还是胡来的，只要是乱占国家耕地的，咱农民就跟他过不去。

农业生态环境不仅仅是农业的事

张主任：我国农业的生态环境是非常脆弱的。现有耕地中不宜做耕地的、需要退耕的数量很大，质量不高需要改造的也占很大比重。根据全国第二次土壤普查，全国优质耕地只占21%。此外，水土流失、盐渍化、沼泽化、沙化的耕地，就占5%左右。受工业"三废"污染和酸雨侵蚀的耕地还有1亿多亩。你们看，这个资料上说，现有的耕地中，按质量分，一等地占41%，二等地占34%，三等地占20%。按产量分，高产田占29.7%，低产田占41%。

王支书：我知道咱省的优质耕地不多。除了少量平川耕地比较好以外，东西两山多是旱地，在15度到25度的

山坡上还有耕种着的地。人们把这种地叫"挂画儿"地，这都是些跑肥、跑水、跑有机质的"三跑"耕地，天涝了土肥流光，天旱了颗粒无收。

老 李：咱农民谁不想种好地。可老天爷没有给咱留下那么多好地。咱老祖宗也没有把咱生到那有好地的地方，有啥办法呢？

张主任：办法倒是有，那就是发展生态农业。中央要求，坚持科学发展，要把人口与自然和谐发展作为重要理念，促进经济发展与人口自然环境相协调，走生产发展、生活富裕、生态良好的文明发展道路。要尊重自然规律，实现人与环境的友好相处。

老 李：张主任，你给咱说一说啥叫生态农业，啥叫人与环境友好相处？

张主任：现代化农业有10个字的要求，就是"优质、高产、高效、生态、安全"。这10个字中，"生态"是新提的。咱们说生态，就是指土地好不好、土地能不能生长。如果土地不长树木、花草、庄稼，说明生态不好。如果生长的东西多，而且有利于生长我们生活需要的东西，就是生态好。你看咱村在北面山上都种了树，土地比较肥，南面汾河穿村而过，总的来说，生态还是比较好的。

老 李：咱村自然条件好，只要种上，就能收回来。

张主任：总的来说就是要保护好我们的自然环境，提高土地的生产能力。

王支书：这些年我们在这方面注意得不够。考虑挣钱多，考虑环境少。

张主任：所以中央才要求要科学发展。对不利于生态环境的行为我们要坚决纠正，这样才能推动农业走可持续发展的道路。既能发挥农业为衣食之源的产业功能，又能发挥农业改善环境的生态功能，增强保护环境、保护耕地的活力，走一条现代生态农业之路。

老 李：只听说过人与人友好相处，没听说过人与环境友好相处。

张主任：人与环境友好相处，就是老祖宗说的"天人合一"。咱老祖宗传下来的讲究敬天地、拜祖宗，都是有道理的。拜祖宗是要我们不忘根本，传承我们的文化。敬天地说的就是对天和地要有敬畏之心。这天和地就是自然，是我们生产、生活所依赖的自然环境。人与环境友好相处，就是说人要尊重自然环境，掌握自然规律。不要胡挖滥采，破坏生态。今天水断流了，明天地不长庄稼了，后天山体滑坡了，我们这日子还怎么过？

王支书：这确实是咱发展现代农业必须坚持的基本方针。

老 李：张主任，你给举个例子说一说，看别人有什么好办法。

张主任：好吧。朔州市右玉县草沟堡村的一个妇女，叫王玉芬。丈夫在外打工，全部农活都压在了她的身上。后来她学了循环经济的知识，琢磨发展循环经济，成了远近闻名的致富能手。王玉芬用5亩地种牧草，养了20只羊、3头肉牛。每只羊能净赚300多元；用牛羊粪制沼气，又解决了照明、燃料的问题，一年大概少烧3吨煤，能节约 1000 多元钱。以前每月开支电费要 20 元，现在仅花 5 元，一年下来节省电费 180 元。另一方面，用沼渣沼液给玉米地施肥，每亩能增产 50 公斤，增加收入 210 元。她算了算循环经济增收与节支的两笔账。这样下来，她家

每年至少增收 5000 元。王玉芬说循环经济有百利而无一害，少花钱多挣钱不说，用了沼气后，再也不用过烟熏火燎的日子了。

老 李：张主任，听你这么一说，还真神了！敢情咱村里到处都是宝，到处都是钱啊！

张主任：确实是。就看你脑子会不会转、够不够使。现在，草沟堡村以王玉芬为榜样，推广"绿肥—养殖—沼气—种植"的循环经济模式，全村种植 700 亩牧草，发展 29 户养牛大户，62 户养猪大户，全年增收节支 30 多万元。如果右玉全县都能像草沟堡村一样，以沼气代煤代柴，每年至少节约 25 万吨燃煤，每年至少节电 50 多万千瓦，节约 360 万元。这就是环境友好型、生态文明型经济。

王支书：2009 年中央 1 号文件就号召要发展循环农业。这确实是有利于建设现代农业，有利于推进社会主义新农村建设，有利于构建社会主义和谐社会。当时看了文

件觉得这循环经济离咱普通农民还远着呢,那些技术深奥得很,想不到其实也不难。收了秋,咱得到人家那里取取经。

张主任:这生态农业也叫绿色生产,它和传统农业不同的地方就在农业生产过程中,除了要统筹考虑各个方面外,还要特别重视肥料的科学使用,实行配方施肥,控制化肥施用量,尽可能少用农药,提倡多使用有机肥。我们叫"三强调",就是强调农业产品的安全性,强调自然环境的可持续性,强调增加土地的自然活力。

王支书:过去种地施化肥,只图多打粮,多挣几个钱。可是化肥用多了也会污染环境,使得土壤板结,生长无力。使用农药多了,生态失衡。还有塑料袋、农用薄膜满天乱飞,既影响农村的形象,又影响农民的收益。这都是不爱护环境、不尊重科学惹的祸。

目前我国农药、化肥、地膜的用量及危害

全国农药使用量128万吨(成药),平均每公顷用量约14公斤,农药大部分进入水体、土壤中。我国化肥年使用量达4124万吨,平均每公顷化肥施用量达400公斤以上,远远超过每公顷225公斤的安全上限。氮肥平均利用率为30%~40%,磷肥10%~20%,钾肥35%~50%。化肥流失加剧了湖泊和海洋等水体的富营养化,造成地下水和蔬菜中硝态氮含量超标。我国平均每年有45万吨地膜残留于土壤中。全国畜禽粪便产生量约为19亿吨,**畜禽粪便的COD总量达7118万吨**,直接超标排入农业环境,造成了水体富营养化,水质恶化。

水利设施关系大

张主任：2009年山西大旱，许多地方的粮食生产都受到了影响。咱们这里怎么样？

王支书：影响是有一些，但不要紧。主要是以前修的引水渠维护得不错，前两年又打了几眼深井。这一片这些年一直坚持植树造林，小生态还挺好。

张主任：水利是农业的命脉。没有水，农业就没命没脉。所以说，农业也是水业。没有水利事业的发展，就没有农业生产的发展。我国农业的基础设施比较薄弱，最突出的就是水利设施薄弱。因此，中央要求把农田水利建设作为农业现代化的一件大事来抓，要重点抓好小型农田水利建设，大力发展节水灌溉，抓紧实施病险水库加固等方面的工作。

老 李：不知道省里有什么政策？

张主任：山西之长在于煤，山西之短在于水。从降雨量看，全国年平均降雨量为610毫米左右，山西比全国平均水平偏少3.1%。从地表水资源量看，全国地表水资源量为24 242亿立方米左右，折合径流265立方米，山西比全国偏少20%～30%，人均水资源占有量约为全国平均值的五分之一。从人均用水量看，最高的省、区人均600立方米，山西人均只有174立方米。在全国水资源指数排序中列第29位。咱们省年降雨量在全国是比较少的，而水土流失却是全国比较重的。山西十年九旱，水利建设对咱山西来说尤其重要。我省水利建设的思路是顺"水"而为,量"水"而行。省里提出了"兴水战略",就是要从根本上解决缺水的问题。这几年亮点很多,如黄土高原淤地坝工程,修建淤地坝1023座,可有效控制水土流失面积228平方公里。

王支书:我看省里还出台了发展民营水保大户的资金扶持办法。

张主任:应该说我省积累了水保大户治理小流域的经验。这个办法规定,对承包国家或者是省水保重点治理项目区的大户,每年的扶持资金要不少于项目总投资的30%;对承包非国家或省水保重点治理项目区的大户,如果他们年治理度达到规定的要求,并且当年造林成活率达到85%以上,水保骨干工程和小型蓄水保土工程经过县一级水利水保部门的批准,就要给予扶持。

王支书:咱山西的水资源太少了。这点水可得节约使用、高效率使用,不敢浪费。还得匀着点儿用,给子孙后代留一

全国水地基本情况

全国有大、中、小型水库共8万多座,总库容4500亿立方米。农田水利方面,建成了万亩以上的灌区5300多处,配套机井250多万眼,全国灌溉面积由1949年的2.4亿亩猛增到8.4亿亩,占耕地的45%,生产粮食70%,经济作物90%。粮食单产灌区是旱区的2.9倍。灌区农业总产值占全国的80%以上,农民收入比旱区高30%以上。中国在修建高坝大库、大型灌区、整治多沙河流、农田旱涝盐碱综合治理和小水电开发等许多方面已接近或达到世界先进水平。

点儿。

张主任：你这话可说到点子上了。农田水利建设的重点就是节水灌溉，要节约水资源。近年来，我们省抓紧建设运城沿黄、汾河下游、汾河中游、忻定与朔同盆地这五大农业节水灌溉基地，计划到2015年，使全省水浇地面积达到2000万亩。

王支书：我知道忻州市定襄县的邱村，有13眼机井，全部实施了管道节水灌溉。原来种粮食的地，变成种优质辣椒、制种南瓜、制种西瓜的地。制种地里还套种玉米。这样一来，成本低、附加值高，效益翻番。农民人均纯收入达到9000元。这个村的书记对我说过，他们村的农民没有外出打工的，农忙季节还要雇人帮忙。

张主任：从省里的实际出发，省政府提出要整体推进农田水利工程建设和管理。在旱作农业区，以雨水集蓄利用为重点，兴建山区小型抗旱水源工程。采取奖励、补助等形式，调动农民建设小型农田水利工程的积极性。同时，还要加大耕地综合生产能力的建设，以改造中低产田为重点，大规模开展土地整治，在黄土沟壑地区，重点建设淤地坝工程，搞好旱作农业示范工程，到2013年建成2000万亩高产稳产旱作农田。

老　李：淤地坝工程可是给咱农民办了一件大好事。我承包的十几亩地里头，就有几亩是政府投资建设的沟坝地。这几亩地年年丰收。今年天旱得这么厉害，沟坝地里收成还挺好。

王支书：干啥事都要因地制宜，从实际出发。这几年省里农田水利建设的政策非常务实,花一个钱就能见到一个钱的效果,老百姓特别拥护。

植树造林和水土保持不能放松

张主任: 我看咱村的绿化还挺好的。北面山上基本种了树,沟里的林果业也发展得不错。道路、住宅两旁也种了树。

王支书: 学平顺县西沟呢。前些年到西沟参观,人家自然条件比咱差,可是树种得好。特别是申纪兰大姐的一句话让我感动。她说:"活了一棵,就不愁一坡。"西沟人硬是在石头山上种活了树。回来咱就在山上也种。这些年,还真是没有白费劲。

张主任: 林业是一项重要的基础产业,是一项具有特殊功能的公益事业。在生态文明的建设中,林业肩负着重大的历史使命。发展林业,是实现科学发展的重大举措,是建设生态文明的首要任务,是应对气候变化的战略选择,

是解决"三农"问题的重要途径。

王支书：这几年国家对林业建设特别重视，投资也大，植树造林和水土保持的成果老百姓都看得见。

张主任：在林业建设上，国家实施了五大工程，就是退耕还林工程、天然林资源保护工程、退牧还草工程、京津风沙源治理工程、三江源自然保护区生态保护与建设工程。拿退耕还林工程来说，已退耕还林4亿多亩，累计已投入5000亿元。不仅减轻了水土流失和风沙危害，还促进了农业结构调整和劳动力转移，拓宽了农民增收渠道。全国有1亿多农民从中受益。

王支书：退耕还林我们村受益最明显。村里的几个小山上都是土薄石头多的地，种啥都没收成。退耕还林后种了树、种了草，现在每个山头都是绿油油的。前几年不多见的野兔子，现在满山跑，山鸡呱呱叫，狐狸也有了，有时还跑到村里偷吃鸡，老百姓还把这当稀罕事儿看呢！

老　李：过去林场的工人是砍树卖树，现在林场的工人是栽树护树。老百姓也不能随便进山了。

张主任：那叫天然林资源保护工程。全国在13个省、区、市全面停止天然林采伐，造林近两亿亩，并且对工程区内9.2亿亩天然林和人工林、灌木林地、未成林造林地进行了全面有效的管护。

王支书：现在盖房子，砖混木结构的越来越少，用钢筋水泥铝合金的越来越多，木料用得很少。抓住这个机遇停止天然林采伐，非常得人心，老百姓没意见。

老　李：不少林场都开发成自然风景区了。城里人说去那地方能净化心肺，去的人还挺多的。林场的运气真好，过去靠卖树赚钱，现在让人家看一眼就能赚钱。

张主任：那叫休闲观光林业。不能说没本，是本小利厚。森林、绿地就是咱地球的肺，是给咱人类制造氧气的。净化心肺是说天然林的氧气浓度高，森林里负离子多，呼吸呼吸有利于心肺健康。人心情不好的时候，看看成片的绿色能缓解压力，到大森林里转转有利于身心健康。

王支书：住在城市里的人，满眼都是钢筋水泥的高楼大厦，看到的绿色也是星星点点。咱农村虽然没有森林，但树多、庄稼地多，氧气肯定比城里多。到乡村观光旅游，比到森林自然风景区费用低。我也想开发观光农业和乡村旅游项目，已经报上去了。张主任，你跟县里领导说说吧，尽快给我们批下来。

老　李：人说啥多了啥不值钱，这话现在也不一定对了。城里楼多，村里人进城看看楼，叫开阔眼界。村里树多庄稼多，城里人到村里，看看庄稼，叫观光农业；看看农村，叫乡村旅游；吸一点新鲜空气，叫天然氧吧。张主任，咱村里这三样东西样样都好，你叫城里人来咱村吧，咱这儿现在不收费。

王支书：说到植树造林，我就想起每年往北京刮的沙尘暴，国家用什么办法能控制住风沙，少刮点儿。

张主任：主要办法是禁牧舍饲、生态移民、封山育林育草、飞播造林种草、人工造林种草、退耕还林、草地治理、小流域综合治理等措施。这些措施实施后，风沙天气和沙尘暴天气明显减少，生态环境明显好转，使京津地区及其风沙源区生态环境得到明显改善。

老　李：这事儿我知道。咱山西也做了很多工作，能栽树的地方栽树，能种草的地方种草，冒烟的、排污的，该关的关、该停的停。北京人见了山西人都伸大拇指，山西为这事做出的贡献最大。

张主任：是的。我省每年完成400万亩植树造林任务，全省的森林覆盖率已经达到了18%，到2020年森林覆盖率将达到26%。比如朔州市，建设了25万亩的森林公园，将来还要扩展到35万亩。不仅改善了当地的环境，而且成为北京的风沙防护林。他们提出的目标是，每年再增加2%的绿化面积。2009年在长治召开了全国造林绿化工作现场会，我省的林业绿化工作走在了全国的前列。林业部把全国新设的"生态建设贡献奖"的第一块奖牌奖给了山西。

王支书：看电视报道，南方来参加会议的人，没想到山西的山这么绿，山西的天这么蓝，山西的环境这么美。他们说，一直以为山西是污染大省，到处是煤灰。来了一看，根本不是，感到反差很大。

张主任：省委、省政府为水土保持做的大事多了。保护和治理母

全国林业发展情况

在全球森林资源减少的大背景下，我国实现了森林面积和森林蓄积"双增长"。森林覆盖率从新中国成立初期的8.6%增加到18.21%。总体上实现了从"沙逼人退"到"人逼沙退"的历史性转变。全国沙化面积由20世纪末的年均扩展3430多平方公里变为目前的年均缩减约1280平方公里。物种保护明显加强。全国累计建立林业自然保护区1968处，总面积18.3亿亩，占国土面积的12.7%。

亲河就是其中的一件。省里决心在两年内重现昔日"汾河流水哗啦啦"的动人景象。汾河的源头宁武县,为了配合汾河治理,忍痛"割肉",关停煤矿19座,折合产值27.5亿元。宁武人民为治理汾河立了功。

王支书:我从报纸上看到,宁武让沿汾河源头居住的后山村村民整体移民,搬出大山,封山育林,达到养护森林、涵养水源、减少和杜绝新的水土流失的目的。宁武一个朋友发来的手机短信有四句话:"粮下川,树上山,人出山,畜进圈。"

张主任:引黄河水入晋也是改善山西环境的大事。汾河对引黄入晋的质和量都有影响。引黄需要治汾做保障。宁武县的管涔山93万亩原始次森林,是汾河上游最大的涵养水源地。只有搞好汾河上游的水土保持工作,才能保证引黄河水质不受泥沙侵害。

农村生产和生活污染要整治

张主任:与城市比,农村的公共设施和生活环境仍然较差。有的农民住宅与畜禽圈舍混杂在一起。村里的路边、地头、打麦场和水沟,都成了垃圾堆放场和污水横流的地方。有的地方甚至是垃圾围村。这种现象要改变。要重视村容村貌的治理,创造整洁、舒适、文明的人居环境。

老 李:过去牛粪、猪粪、羊粪是人人要拾的,拾了还会受到表扬。现在有的地方是买东西方便,大小便随便。

王支书:新农村建设就是要解决这些问题,通过改水、改灶、改厕、改圈，尽早让农民喝上干净的水，走上平坦的路，用上清洁沼气，生活在优美的环境里。

张主任：实现村容整洁，主体是农民。村里要有卫生管理制度，建设必要的公共卫生设施，实现生活垃圾统一处理。要改变农民不健康的生活习惯，把讲文明、讲卫生的生活方式宣传、落实到家家户户。

王支书：在每年的五一、端午、中秋、国庆、重阳、元旦和春节，我们村都要开展全民健康教育活动，进行卫生大扫除、大评比，开展组与组、院与院、户与户之间的环境卫生评比活动，现在比过去好多了。

老 李：搞个卫生活动容易，养成讲卫生的习惯难。活动活动，不推不动，人学赖容易，学好难。张主任，你见多识广，给咱支个高招。

张主任：我没啥高招，给你介绍一个好典型吧。晋城市巴公镇东四义村，50多年来，坚持大扫小扫不断，把一个穷村、病村、瘟疫村扫成了小康村、健康村，人均寿命高于全国平均水平。怎么坚持下来的？就是靠党员干部带头，靠一茬一茬坚持。我去那里参观过多次，确实名不虚传。

王支书：人家东四义村能做到，其他村也应该能做到。之所以没有做到，是党员干部没有起到带头作用。

老 李：这话点到穴位上了。

张主任：其实，街道弯一点不怕，房子不一样不怕，标语少一点也不怕。要紧的是怎么能彻底改变农民乱扔乱丢生活垃圾的陋习，养成维护、保持公共卫生的意识和文

建设环境友好型社会的要求

对自然界不能只讲索取不讲投入，只讲利用不讲建设。经济增长不能以浪费资源、破坏环境和牺牲子孙后代的利益为代价。在发展过程中不仅要尊重经济规律，还要尊重自然规律，充分考虑资源、环境的承受力，加强对土地、水、森林、矿产的合理开发利用，保护生态环境，促进人与自然和谐，实现可持续发展。

明健康的生活习惯。只要干干净净，老百姓就过得舒心。

王支书：教育农民的方法也要转变。我们就是从小事做起，从细节做起。倡导"黎明即起，洒扫庭除"，平时做到"饭前洗手，便后洗手"。天长日久，潜移默化，就会养成好习惯。

张主任：教育农民也要体现以人为本，语言文雅一点，方法得力一点，工作细致一点，关系融洽一点，农民更容易接受，效果会更好。

王支书：改变这种状况也要加强管理。我们把教育农民树立环境卫生意识，纳入争创"十星级"文明户的活动中。要求每家"自扫门前雪"，做到门前"三包"。然后再从"各人自扫门前雪"发展到"也管他人瓦上霜"，实行互相监督，做不到扫门前雪者，门上就会少一颗卫生文明星。

老　李：这个办法挺管用。没有卫生文明星，家里人脸上无光，亲戚来了都觉得没面子。我还编了两段顺口溜，反映农村环境卫生的变化。过去是：远看花花绿绿，走近臭气熏天。屋里现代化，村里脏乱差。现在是：远看绿树青山，走近像似公园，街道整齐有序，农家笑声不断。

农林副产品和废弃物也要再利用

张主任：充分利用农林副产品和废弃物，保护耕地的质量，是利在当代、福在后人的大事。要加快沃土工程实施步伐，支持农民秸秆还田，种植绿肥，增施有机肥，开展农作物秸秆固体成型燃料和秸秆气化的试点，把传统农业的精华与现代高新技术相结合，形成物质的良性循环，努力做到把农业产品"吃干榨净"，然后再回归大地。

王支书：我理解"吃干榨净"，就是把农业产品中有用的东西榨干净，榨的过程要干净，产品消费要干净。回归大地，就是从哪里来，还到哪里去。来自自然，回归自然。

张主任：你理解得很到位。我国的土地耕种了5000多年，土地的活力没有遭到破坏，就是应用农业生产实现自然循环的原理。这是人类的奇迹，是老祖先留下的宝贵财富。

老李：过去人说，"庄稼一枝花，全靠肥当家"。畜禽的粪便、庄稼的秸秆，都是最好的农家肥。现在化肥的种类多了，用起来

全国沼气建设情况

全国适宜发展沼气的农户约有1.46亿户，占农户总数的58%。国家重点支持以沼气池、改圈、改厕、改厨为基本内容的农村户用沼气，支持部分规模化畜禽养殖场和养殖小区的大中型沼气工程，重点安排适宜发展沼气的退耕还林还草区、粮食主产区、水库区，同时兼顾畜牧主产区、南水北调沿线等重点水源保护区、革命老区、少数民族地区以及血吸虫病、地氟病疫区等。到2010年，预计全国户用沼气可望达到4000万户。

又省事儿。有的农民嫌农家肥用着费工夫，效果又不如化肥，粪便秸秆便成了污染物。

王支书：现在农家肥又吃香了。施用农家肥生产出来的瓜果蔬菜，叫无公害产品，卖的价钱特别高，农家肥又成了抢手货。张主任，不知道农家肥能不能工厂化生产？

张主任：能啊！人和畜禽的粪便、农作物秸秆经过高科技处理就能变成优质农家肥。处理的技术是成熟的，生产出来的肥料也是很有市场的。这种肥料用起来也很方便。政府对这类项目是扶持和支持的。问题是这些项目利润比较低，许多人不愿意去投资。

老　李：这事咱不嫌利小，就是不懂技术，也没有资金，想干也干不成。

张主任：我们能不能像老祖宗那样，给子孙后代留下十几亿亩保持活力的耕地，是沃土工程建设的奋斗目标。实现这个目标，必须走资源节约型、环境友好型的发展路子。在"不与人争地、不与地争粮"的原则下，在适宜地区发展能源作物种植，积极推进以非粮油作物为主要原料的生物质能源研究和开发。

王支书：我儿子中秋节回来，给他爷爷买了几盒高档保健品，名字叫"翅果油软胶囊"，说是临汾市乡宁县生产的，我都有点不相信。乡宁是个出煤炭的地方，还能生产出这么好的东西？

张主任：这东西确实是乡宁生产的。乡宁那地方有一种野生植物叫翅果油树，原来没有什么价值。山西琪尔康生物制品有限公司通过与科研机构、大专院校合作，成功实现了翅果油树由野生到人工育苗种植,并在翼城县中卫乡和乡宁县西交口乡建设了两大翅果油树基地,面积有3万多亩。经过高科技加工,可年产高档保健用品翅果油300吨,年销售收入1.7亿元,利税9000万元,附加值非常高。

老　李：啥能发财真说不清。翅果过去是喂猪的。三年困难时期,我在乡宁吃过那东西,可难吃啦!现在变成了高级保健用品。不值钱的东西变得这么值钱,咋都想不到!

王支书：我们的思路是,沟里建设沟坝地,山坡建设梯田,重点发展旱作农业,主要种植小杂粮,种核桃树、枣树。张主任,你给咱多举几个实例,让咱学习学习。

张主任：山东郯城有几个废物利用的典型不错。郯城泉源乡长埠岭村农民李玉华是种植蘑菇的大户,他用2500公斤废玉米芯,种大棚平菇,一年收了4茬,赚了8000多元。泉源乡的农民用棉籽壳、玉米芯和花生壳做原料,在大棚种植黑平菇,使1000多户农民走上了富裕路。在郯城县受益于废物利用的农民已达2万多户。再如马头镇,有7个村近5000农民做起了秸秆编织。他们把水稻秸秆加工成半成品,收购户再把半成品加工为成品销售出去。一亩水稻能产500公斤稻草,就可以产出3000元的效益。这个镇每年可编织200多万套秸秆制品,产品除了卖到国内的大中城市以外,有近80%出口到国外。种植玉米的农户,把玉米皮、玉米芯编织成工艺品,也获得了可观的经济效益。

王支书：解放思想眼界高,科学发展思路宽。要从实际出发,从市场需求出发。不能急功近利,不能做成应付参观的项目。

老　李:我种了几十年地,老把式现在成了外行。政府鼓励咱农民发展现代农业,这是利国利民利子孙的大好事。王支书你做好宣传,老李我带个头,张主任你给我选个好项目,投资少一点儿的,学起来容易一点儿的,让我老李也当一回示范户。

城乡环境卫生的管理要一体化

张主任:在环境卫生管理上,还存在城乡管理体制"两张皮"的问题。这在城乡结合部表现得尤为明显。城里人认为行政管理属于农村,不该管。村里人认为城市扩张已经覆盖,不能管。这样的管理空白地段,就成了城市建筑垃圾下乡、农产品废弃物进城的集中地区。有的地方形成了垃圾围村、垃圾围城的现象,成为城乡环境卫生最差的地方。

王支书:我看中央台报道,广东虎门镇的远丰村,就是城乡结合部的一个垃圾村。400万吨垃圾堆积成一个很长很高的山丘,把整个村都包围起来。垃圾以生活垃圾为主,有变质剩菜、腐烂生果以及动物粪便。完全没按照规定,对垃圾进行填埋处理。村民说,下雨的时候脏水流,出太阳的时候臭味很重很难闻。不单是空气难闻,那里的水源也受到严重污染,变成了黑色。村民就用这种水灌溉农田。长期在这种环境中生活的村民,已有人患上了癌症。

老 李：城乡结合部的垃圾围城、垃圾围村现象，像牛皮癣一样，是谁都讨厌的事，也是环卫部门最头疼的事。

张主任：反复出现的问题，要从规律上找原因。普遍存在的问题，要从体制上找原因。城乡结合部的垃圾围城、垃圾围村问题，既是反复出现的，又是普遍存在的，所以既要从管理体制上找原因，也要从解决问题上找办法。

老 李：要叫我说办法挺简单，两句话就行啦，有钱办事，有人干事。政府花点钱，雇人及时清理就行啦。

王支书：政府花过钱，也雇过人，常常为了应付会议和检查，花点钱，突击清理清理，维持不了几天，一切照旧，是一件经常解决而又不断反弹的事。

张主任：彻底解决问题必须把城市和农村的环境卫生管理统一到一个部门，并且保障经费到位。在这个问题上临汾市蒲县就做得比较好。临汾市蒲县制定出台了城乡环境卫生清洁整治实施方案，县财政拿出230万元用于城乡环境卫生整治，每个村都修建了垃圾池，购置配备了垃圾专用清运车、专用保洁车、装载机、洒水车，还拿出40万元用于农村保洁员的工资补助。乡镇、村都制定了环境卫生制度，实行环境卫生划位包区责任制。

城乡一体化的目标

城乡一体化，不是把农村都变成城市，也不是追求城乡什么都一样。而是建立以工促农、以城带乡的长效机制，形成城乡经济社会一体化发展的新格局。当前，着力推进城乡社会管理、公共服务一体化，改变过去重城市、轻农村，重市民、轻农民的做法，形成城乡一体化的行政管理体制，开创城乡工作相互对接、良性互动的新局面。

制定了保洁员制度，确定了保洁员，以钱养事，实行工资和绩效挂钩。现在蒲县已经成为我省城乡卫生管理一体化最到位的县之一。

王支书：这好干，那好干，扯起皮来都难干。这难干，那难干，统筹兼顾都好干。方方面面多一点群众观念，多一点全局意识，就能把这件事关民生的事情办好。

张主任：城乡在规划、设施、建设、管理方面实现了一体化，农村就会成为风景最秀美的地方，最宜人居住的地方。在发达国家，有钱人到村里盖房子，没钱人才到城里买房子。城里人把在村里盖的房子叫别墅，住在别墅里叫度假。

王支书：我也想在村里建几栋别墅，让城里人来感受感受田园风光，放松放松。

老　李：咱村要能成为城里人的度假村，那可了不得。听说度假村的房子可值钱了，地皮也涨价。我家是新院子，房子多、面积大。王支书，这事儿赶快敲定，我老李老了老了，也能体会体会收房租的感觉。

农村要想富,离不开党支部
——谈谈进一步加强和改进农村党的建设

咱农民说话管用了

张主任:王支书,咱们村的"两委"换届工作开展得怎么样?

王支书:眼下村里已经实现了民主选举。这不,新的"两委"换届工作刚完成,村民们参与的热情非常高,参选率达到了99%以上。对选出的干部也基本满意。目前还没有发生因为选举不公而导致的上访事件。

老 李:民主选举让咱老百姓有了发言权,能选出自己称心如意的当家人来。王支书上届干得不错,带领我们致了富,大家伙儿都信任他。这次班子换届,王支书的得票率超过了八成呢。

王支书：群众对咱这么信任，让咱也有了干劲。今后还得好好干，让大家伙儿的日子越过越红火。

张主任：有决心就好。村委会选举是村级民主的起点，它促使民主机器运转起来，将民主从书上、墙上引向田间地头。到2008年底，我国农村有60多万个建制村，绝大多数进行了7次以上的村委会换届选举。

老 李：咱村就选得不赖。

张主任：在中央和各级党委的重视下，村委会选举呈现出良好态势。一是选举工作趋于常态。村委会选举从初期需要党和政府强力推进，转变为主管部门的常规工作。二是选举程序不断规范。各地严格按照法律法规的要求进行选举，并在设立秘密写票处等关键环节采取了有力措施加以规范。三是选举竞争更加激烈。公开、公平和公正的选举吸引了越来越多的村民自荐参加村委会竞选。四是选民参与日益理性。经过几轮选举，村民知道"选和不选不一样"，"选好选坏更不一样"。因此更加重视手中的选票。五是选举结果令人满意。一大批有文化、懂技术、会经营，愿意带领群众致富奔小康的村民，被选进了村委会班子，村委会成员结构不断优化。

老 李：说起民主，我感觉咱老百姓说话比以前管用多了。村里现在有个大事小情都要召开村民会议，大家民主讨论、民主决策，真正享受到了当家做主的滋味。

张主任：你说的是基层民主的重要一环——民主决策。目前，民主决策已经逐渐走向深入，各地普遍建立了以村民会议和村民代表会议为主要载体的民主决策组织形式，

明确了民主决策的事项和范围、程序。一些地方创造了"村务大事村民公决"、农村"民主日"等办法,保障了村民的决策权。

王支书:除了让村民参与村务决策以外,村里还做到了主要制度公开上墙、常用制度发到农户。我们还下发了"强农惠农政策明白卡",农民足不出户就可以了解制度规定和党的惠民政策。

张主任:很好,你们村的民主管理搞得不错。当前,我国98%以上的村已经制定了村民自治章程和村规民约。近年来,不少地方将各种农村服务性、公益性和互助性社会组织引导到民主管理中,使民主管理的社会基础和组织机制得到进一步扩展。

老 李:还有村里的村务公开栏,干部们干啥事上面写的是一清二楚。老百姓如果不满意,随时都可以提出意见,干部们都会当做一回事认真去办。

张主任:这是民主监督,也是基层民主的重要内容。当前,村务公开已经普遍推行,全国90%以上的县编制了村务公开目录,90%以上的村建立了村务公开栏。眼下,还有不少地方创立了村民监事会、"民评官"等形式,推动民主监督的深入发展。

王支书:我看到报纸上介绍太原市杏花岭区长江村每年都要召开党员议事和村民代表议事的"两议会",对村务公开的内容进行说明,对村里的工作征求意见。村民们对这个会都很重视。

张主任:为了建立一个可以直接倾听百姓呼声和建议

的通道，2005年12月，省委率先开通了"社情民意通道"，大大方便了群众反映各类具体问题。

王支书：我听说，长治市有人试着给"社情民意通道"发去电子邮件，建议用审计措施解决农民工工资拖欠问题，要求在工程开工前就为农民工建立专门的工资账户。没想到这个问题在"通道"反映后，受到了省领导的高度重视。相关部门通过研究，提出了"将审计监督介入基本建设全过程，把根治拖欠农民工工资问题，作为今后一段时间内的工作重点，认真研究，切实推行"等5条具体处理意见。

张主任：你说得没错。到2007年6月底，全省11个市和119个县已全部开通"社情民意通道"。几年来，全省"社情民意通道"共办理各类群众反映的具体问题15 000多件。其中，仅省委"社情民意通道"办理的各类群众反映的具体问题就有6500多件。

老　李："社情民意通道"真是架在领导和咱老百姓之间的一座连心桥啊！

领导班子是关键

张主任：我国是一个农业大国，农民占人口的大多数。能不能正确认识和处理农民问题，做好农业和农村工作，始终是党和国家全部工作的重中之重。农村工作千头万绪，要想搞好它，村级领导班子是关键。

王支书：当前，我们村领导班子的工作重心是怎样推进村里的科学发展，实现强村富民。张主任，你能不能给我们介绍一些好的做法和经验,让我们拓宽思路?

张主任:阳泉市盂县有个叫温池的村子。10年前,靠煤炭资源起步,成了远近闻名的富裕村。但是,因为多年煤矿大面积开采,村里生态环境遭到很大破坏。煤矿关闭后,转型发展、科学发展成了当务之急。村领导班子急群众所急,想群众所想,积极招商引资,彻底进行地质灾害治理,走资源整合的路子,建起了大棚蔬菜基地,并带动运输、商铺等副业发展,大大提高了村民的收入。他们还建了文化广场、农民公园、图书馆、多媒体室、文化科技活动室等,丰富了村民的精神文化生活,像以前常有的赌博、上访,现在已经绝迹,全村一片安乐祥和的景象。目前,村民们每家住的都是一百大几十平方米的楼房,水电暖一应俱全。村里大路宽阔、路灯明亮、街道整洁,就像一个现代化的小城镇。

老李:火车跑得快,全靠车头带。农村要想富,离不开党支部。

王支书:是的。农村要发展,领导班子是关键。但是,农村要更好更快地发展,抓好领导班子建设是根本。从我们村的情况来看,过去因为收入低、没前途,干部人心不稳,干部岗位

农村要想富,领导班子是关键。

留不住人，也引不进高素质人才，工作动力不足。

老　李：现在不一样了。你们几个干得不错。

张主任：为了改变这种状况，落实农村干部激励保障机制，激发农村干部干事创业的热情，我们正在学习推广河北省张家口市提出的"一定三有"工作机制。

什么是"一定三有"

"一定三有"制度首创于河北省。"一定"是定职责立规范，"三有"即工作有合理待遇，干好有发展前途，退后有一定保障。"一定三有"制度的创立，为建立和完善农村干部激励保障机制、激发农村干部干事创业热情探索出了一条新路子。

老　李：我听说省里要全面建立农村主要干部岗位报酬集中统一发放和养老保险制度，是真的吗？

张主任：是真的。为进一步加强农村主要干部队伍建设，2008年省里决定在全省全面建立农村党支部书记和村委会主任岗位报酬集中统一发放制度和养老保险制度，按照不低于当地农村劳动力平均收入水平或农民人均纯收入的两倍，确定村党支部书记和村委会主任岗位报酬水平，确保村干部岗位报酬和养老保险如数按期划拨到村干部的个人账户中。

王支书：我们省还有为农村干部补贴养老保险金的政策出台。

张主任：从2009年1月起，全省对各行政村党支部书记、村委会主任实行参加新型农村社会养老保险缴费补助制度。各行政村的党支部书记、村委会主任在任职期间，

按每人每月30元的标准享受政府的专项缴费补助。如果是书记、主任一人兼的只享受一份补助。这些补助要直接计入该参保人的养老保险个人账户。

王支书：这样，有稳定的收入，有各种保险和补贴，村干部就有劲头、有干头、有盼头了，心里也踏实了。

张主任：针对一些地方没有支部活动场所的问题，省里最近决定要加强这方面的工作，资助那些困难村建好村级党组织的活动场所。这样，组织活动就能正常开展了，村干部的保障也有了。当然，干部们的责任也更重了，一定得发挥积极作用，带领大家把新农村建设好。这样才称得上是合格的村干部。

老 李：是啊，农村要科学发展，有个好班子是关键。

团结才能办大事

张主任：讲团结是我们党的优良传统。农村"两委"处在最基层，肩负着社会主义新农村建设的重大责任。上级党委、政府在农村各项工作的开展和落实都需要通过"两委"的工作来体现。"两委"成员是党的农村政

"两委"班子团结一致，还愁干不成大事？

策的具体执行者，是农村改革和发展第一线的指挥员和战斗员。只有"两委"团结才能形成战斗力、凝聚力，才能够有效地维护农村社会稳定，推动农村经济发展，促进精神文明建设。

老 李：对，团结就是力量。在农村，只有村党支部和村委会班子团结才能干事，才能干成事，才能干大事。但现在有的村"两委"班子拉帮结派，搞团团伙伙，各管各的事，各唱各的调，各拉各的人，严重地影响了村子的发展和稳定。

王支书：这主要是因为村支书和村主任的关系没有协调好。有的村委会主任认为，自己是由全村村民经过直接选举产生的，是村里的负责人，对全体村民负责；而村支书仅仅是由几十个党员选举产生的，对全体党员负责。村主任是法人代表，财务一支笔的具体负责人。有的村支书则认为，党领导一切，是村里一切工作的领导核心。村支书一直以来是一把手，村委会主任理应由自己来领

什么是"三级联创"

农村党的建设"三级联创"活动是指在县、乡镇和村三级党组织中开展的以"五个好"村党组织、乡镇党委和农村基层组织建设先进县（市）为主要内容的创建活动。同时把创建基层满意的县（市）直涉农部门和群众满意的乡镇站所也纳入"三级联创"活动中，把县、乡镇、村的联创与县（市）直涉农部门和乡镇站所争创先进结合起来。

创建村党组织和乡镇党委"五个好"目标要求：一是领导班子好；二是党员干部队伍好；三是工作机制好；四是小康建设业绩好；五是农民群众反映好。

导。这样就造成具体工作不沟通、不商量，钩心斗角，不用说干大事，就是日常工作都无法开展。

张主任：是的。"两委"班子不协调是农村基层班子建设中不容忽视、亟待解决的问题。近年来，我们一直强调要搞"三级联创"，提出创建"五个好"村党支部的目标。其中，第一"好"就是"好班子"，要求村党组织和村委会关系协调，团结一致，带领农民群众共同致富。

王支书：目前，实行村支书和村委会主任"一肩挑"，也是为缓解"两委"矛盾作出的新探索。

张主任：是的。这就要看村民的眼力，选一个什么样的人当书记和主任。运城永济市北梯村，村民们高票选举孙国宾当村支书兼村委会主任。孙国宾上任后，凭多年的经商经验和独特的眼光，团结班子其他成员，拧成一股绳，劲往一处使，成立了北梯村养猪专业合作社。在引进优质种猪和先进繁育技术的同时，实行统一圈养、统一供崽、统一防疫、统一销售和分户饲养的"四统一分"管理模式。第二年，有41户农民入社，实现利润500万元。之后，又成立了北梯村葡萄合作社，实行"土地入股，农民分红"的办法，采取机械化、科技化、高效化和生态化的管理，计划到2010年，葡萄种植园收入达到200万元。

老 李：抱团取暖，合作互利，一个村的"两委"班子能做到这点，还愁干不成大事？

像王海潮那样的干部越多越好

张主任：农村要发展，干部是关键。2008年《山西日报》刊登了平顺县西井山村党支部书记王海潮的事迹，非常感人，非常教育人。省委书记专门作了批示，说在他身上体现的践行科学发展观，一心为民、无私奉献、艰苦奋斗、自强不息的精神，是广大党员特别是农村基层干部学习的榜样。省里还发了文件，号召大家向他学习。

王支书：王海潮的事迹我也看了，真是很受教育。他十几年如一日，团结带领全村党员群众，自力更生，艰苦奋斗，使天堑变通途，通信进山村，旅游得开发，集体大发展。为了修路，他还把自家的积蓄拿了出来。哪里有危险，他就到哪里。他廉洁奉公，十几年没有买过新衣服。对待乡亲胜似亲人，把毕生的精力和心血献给了他热爱的家乡。2008年，在组织村民开展绿化荒山中，不幸坠落山崖，以身殉职，去世时年仅47岁。比比人家，我感到自己还差得很远。他真是焦裕禄式的好干部啊！

张主任：焦裕禄确实是人民的好公仆、干部的好榜样。1962年冬天，他到当时的内涝、风沙、盐碱"三害"肆虐的兰考县担任县委书记，带领全县人民战天斗地，**努力改变兰考的贫困面貌**。1964年5月14日，积劳成疾的焦裕禄同志因肝病不幸逝世，年仅42岁。焦裕禄用自己的实际行动，塑造了共产党员的光辉形象，铸就了亲民爱民、艰苦奋斗、科学求实、迎难而上、无私奉献的焦裕禄精神。

老　李：说起焦裕禄，我就很激动。你看人家焦裕禄那样的干部，心里想的全是群众，就是没有他自己。再看看现在的有些干部，心里想的都是自己，就是没有老百姓，真让人寒心呐！

王支书：老李，你说的那种干部有。但是，看看我们周围，还是有不少像焦裕禄那样的好干部。运城市临猗县蔡村村委主任张小民就是像焦裕禄那样牢记党的宗旨、心系群众的好干部。他在日记中写道："既然群众选择了我，我就要放手干，使劲干，泼命干，不能像小炉匠补锅那样将就。共产党的干部就是为人民谋利益的，我在任期间一定要让蔡村的老百姓富起来，不然就对不起大家对我的信任。"

王支书：他的日记我也学过，有一段印象很深。他说"如果说村委主任还算个官的话，那么这个官应该这样去做：在人民群众最需要的地方能见到你，在人民群众最困难的时候能想起你，在你离去的时候人民群众能怀念你。"

张主任：张小民是这么说的，也是这么做的。1984年，张小民从部队复员回乡后，就立志改变蔡村的贫困面貌。他带领村民调整产业结构，栽果树、种棉花、修水利。在向土地要钱的同时，他还带领村民外出闯世界。经过10年的苦干，蔡村发生了翻天覆地的变化，人均年收入从400元增加到3200元。户户接通了电话和闭路电视，村里成立了老年协会和村剧团。蔡村从全县有名的"贫困村"变成了全县的"首富村"。

老　李：我听说榆次区北田镇朱村的党支部书记赵丽

琴这几年也干得不错。

张主任：赵丽琴也是焦裕禄、王海潮式的好干部。她担任村支书后，坚持以民为本，凭着不畏艰险、勇于创新、吃苦耐劳、甘于奉献的精神，用3年时间，在七沟八梁上建成了温室园区，为村民脱贫找到了出路，为山区致富树起了样板。2008年，朱村人均年收入达到了6200元，建起了120套日光温室大棚。外出打工的村民几乎都回到村里种大棚。省委书记看到朱村的温室园区时，肯定地说："朱村的路子走对了。"

老 李：听了你们这些话，我对当前的干部有了新的认识。老百姓就是喜欢、拥护焦裕禄和王海潮这样的干部。这样的干部越多，农村的发展就越有前途。

艰苦奋斗不能丢

张主任：刚才我们说到，像焦裕禄、王海潮这样的干部，群众喜欢，群众爱戴，群众愿意跟着走。原因就在于他们是共产党员的优秀代表，传承了共产党人艰苦奋斗的优良传统。艰苦奋斗是我们党的立业之本、取胜之道、传家之宝。

老 李：现在有的人是得了好政策，丢了好传统。过去的那种艰苦奋斗精神、勤俭节约精神、集体主义精神，在他们身上统统感受不到了。你看，有那么多棉梗宁愿烂在田里，也不想法利用。再说水利建设吧，大江大河治理、水库修建维护，是靠国家投入，可你自己受益，自己要用

的山塘、沟渠也不维护，不疏通，这就说不过去了吧？

王支书：我认为，解决"三农"问题，不能光靠政策，还要抓思想教育。好政策不要变，好传统也不能丢。要讲支援农业，也要讲艰苦奋斗。毛主席当年说，重要的问题在于教育农民，我看这话并没过时。话又说回来了，群众还是要由干部去发动、去组织的。我们这些乡村干部就有责任带头艰苦奋斗，深入到群众中去做工作，真正为农民服务。

张主任：对！要让村民牢记，我们党是靠艰苦奋斗起家的，也是靠艰苦奋斗发展壮大、成就伟业的。经济越发展，条件越好，越要教育

村民艰苦奋斗。中央强调要建设社会主义核心价值体系，明确提出"以艰苦奋斗为荣，以骄奢淫逸为耻"，就是告诫我们要居安思危。我们也要让村民明白一个道理，那就是，一个村如果没有艰苦奋斗精神作支撑，是难以自立自强的，是难以发展进步的。

老李：这个我有感受。前段时间我到阳泉市郊区的枣园村串亲戚，他们村就是靠艰苦奋斗发展起来的。枣园村在洮河上游的保安沟，地处偏僻，信息不通，长期以来，

是一个路不平、灯不明、水不通,人心不振,经济拮据、生活困苦的贫困村。1997年,人均纯收入还不足600元,村集体不仅没有收入,还欠银行7万元贷款。自从马玉田担任村支书以来,团结带领全村干部群众艰苦奋斗,埋头苦干,终于甩掉了贫穷落后的帽子。2008年,年人均纯收入达到3200元,比1997年净增2600元,村集体拥有固定资产达到1000多万元。

张主任:还有右玉县。右玉地处山西西北端,是全省35个国定贫困县之一。右玉县历任领导班子团结带领全县党员、干部、群众,坚持不懈植树造林,坚韧不拔改善生态,坚定不移谋求发展,一任接着一任干,一张蓝图绘到底,把过去的不毛之地变成了今天的塞上绿洲,形成了"执政为民、尊重科学、百折不挠、艰苦奋斗"为主要内容的"右玉精神",为全省广大贫困地区探索出一条负重前行、奋力赶超的科学发展之路。

王支书:对!在我们这批学习实践活动中,省委就要求大力学习弘扬"右玉精神"。前些时候,还开了弘扬"右玉精神"、加强作风建设的电视电话会议。省委书记在讲话中要求通过大力学习"右玉精神",在发扬光荣传统、弘扬时代精神上增添新内涵;为战胜困难挑战、推动"三个发展"注入新动力;在增强宗旨意

社会主义核心价值体系

社会主义核心价值体系包括马克思主义指导思想、中国特色社会主义共同理想、以爱国主义为核心的民族精神和以改革创新为核心的时代精神、以"八荣八耻"为主要内容的社会主义荣辱观。

识、服务人民群众上开拓新境界；在建设善于推动"三个发展"的高素质干部队伍上，要有新作为；在激励埋头苦干、营造创业氛围上，焕发新气象。

老李：艰苦奋斗是我们的好传统，永远不能丢啊！

党员就要有先进性

张主任：农村党员是农村落实科学发展观的具体实践者，是农村党的建设的具体参与者，是贯彻落实党在农村的各项方针、政策的中坚力量。总之一句话，是带领广大农民群众建设新农村的主力军。这支队伍整体素质的高低、作用发挥充分与否，直接影响着党在农村的形象，关系着新农村建设的成败。

老　李：对老百姓来说，最关心让什么人入党。我们那个时候要想入党，思想不好不能入，劳动不积极不能入。可是现在，有的地方长期不发展党员，有的人发展党员只发展自己的亲戚。我们这些老党员实在看不下去。

张主任：老李说的这种现象确实存在。现在农村在发展党员上存在一些问题。有的村论资排辈，党员严重老化。有的村发展党员就看个人关系、个人喜好，"举亲不举贤"，导致"近亲繁殖"；有的村党支书担心群众基础好的人、有胆识有能力的人入了党可能威胁到自己的权威和地位，宁可不发展。这就造成了党员干部队伍青黄不接的状况。

王支书：其实，村民入党的积极性非常高。前一段乡里集中培训申请入党的积极分子,给我们村下了30个指标,结果有50多个人报名。还有十来个是在外地打工,专门回来参加学习的。说真的,群众看你这个党怎么样,很大程度上就是看你要什么样的人入党。

张主任：说得太对了！中央要求,加大在优秀青年农民中发展党员的力度。晋城市"入党先过群众关"的做法,对我们吸收什么样的人入党很有启发。他们提出,要想入党,先当优秀村民。阳城县峪则村卫生所医生田兵亮,深受全村人的信任。33岁的他,就是村里实行新机制后的第一个新党员。入党后,他兴奋地说,这种办法打破了以前的论资排辈,体现了公平、择优、透明。不然,单论资历,自己还不知道要排到猴年马月。

老 李：入党积极分子必须从优秀村民中产生,优秀村民必须过群众关,能入了党的人都不简单。这个办法好得很,绝对不能由少数人说了算。

王支书：这样,我们农村党员的整体素质就提高了,党支部的战斗力就增强了。但是,近年来对流动党员的管理成了我的心病。我们村有一半的党员,尤其是年轻党员,都到外头打工去了。出去的这些党员,分散在各地,流动性强,外出时间长。有的党员还能够主动缴纳党费,但处于管理松散的状态下。有的党员"两耳不闻窗外事,一心一意去挣钱",处于失管、失控状态。我们目前对这些流动党员的管理基本上是通过电话、书信、返乡教育等形式不定期地对他们的思想和工作情况进行了解,效果不是太好。

张主任：农村流动党员的管理,的确是农村党建工作

的一个难题。中央明确提出，要加强和改进流动党员管理，建立健全城乡一体化的党员动态管理机制。通过这段时间的走访和调查，我认为，主要应该用制度来管理党员。

王支书：有些啥制度？

张主任：比如建立外出申请报告制度。要求本村党员外出前必须向村党支部提出书面申请，说明外出理由、去向和时间。党支部在接到党员的申请后，及时找党员谈话，加强对他的教育，并提出相关的要求。再比如建立流动党员档案制度。对村里流动党员的基本情况、家庭情况、外出时间、地点、就业情况、工资报酬、参加流入地党支部的活动等情况进行详细记录。还有就是联系制度。

王支书：这个我们村里也有了。村党支部确定一名正式党员与外出党员进行联系，明确职责。要求联系人通过信件、电话等形式了解外出党员的从业与生活情况，定期通报我们村的经济社会发展状况，督促党员主动汇报思想，按期缴纳党费，参加从业地的组织生活。

张主任：再有就是补课制度。流动党员外出返乡后，支部要派人给他们补组织生活会，传达村支部党员活动的情况和要求，等等。对党员比较集中的地方，最好要组织他们建立临时党组织，或者鼓励他们参加当地的党组织活动。

加强党性修养要求

中央对各级领导干部加强党性修养提出六个方面的新要求：着力增强宗旨观念，着力提高实践能力，着力强化责任意识，着力树立正确的政绩观，着力树立正确的利益观，着力增强党的纪律观念。

王支书：这些措施让我很受启发。目前我们村还有这么一些党员，没有任何职务。他们中有的只管自己生产，只讲经济效益，不起模范带头作用；有的认为自己人微言轻，说话也不一定顶用，就"事不关己，高高挂起"。再给咱讲讲这方面的事情。

张主任：这就涉及对党员进行党性教育的问题。在抓经济建设的同时，始终不能放松抓党员的党性教育。要经常组织党员干部学习政策理论，进行爱国主义、集体主义、社会主义教育，使他们牢记党的宗旨，为民办实事、办好事，不断用党的先进性要求自己。

老 李：党员就是党员，就要有个党员的样子。不能"党员不党员，就差两毛钱"。

张主任：对！要教育他们贫穷不是共产党员，要给他们激励、关怀和帮扶，帮助他们尽快脱贫致富，让村里的人瞧得起。对那些富裕的无职党员，教育他们要爱家乡的这块土地，爱父老乡亲，树立"一个人富不算富，全村人富才是富"的思想，引导他们把起先锋模范作用，把帮助村子发展，帮助乡亲富裕当成一种责任。你们应该学习忻州市许多农村设置"党员工作岗"、营造"党员示范林"、修通"党员路"的经验，开展党员设岗定责、依岗承诺活动。

老 李：党员就要思想比别人好，做事比别人多，方方面面起带头作用。

张主任：确实是。我们身边就有很多值得学习的党员。像省里这些年来一直弘扬的申纪兰精神、李双良精神、太

行精神、右玉精神、锡崖沟精神，都对我们有很大的激励作用。我记得前两年，省委宣传部还编了一本《像他们那样模范实践"三个代表"》，里面就介绍了临猗县的张小民、泽州县的段永芳等农村的优秀党员。

王支书：这本书我看了。乡里给我们每个支部都发了一本。

老　李：最近开展学习实践活动，省里还编了一本试点经验先进典型的书，里面就介绍了榆次北田朱村的书记赵丽琴、平顺西井山的书记王海潮等一批优秀农村党支部书记，他们都干得不错啊！

村务公开是件大好事

王支书：村务公开是建设社会主义新农村的一项重要内容，是干部取信于民的一条重要纽带。我们村就采用村务公开栏的形式定期进行村务公开。

老　李：村务公开的目的，就是为了让群众明白村务。但村务公开的内容要是只侧重一些统计数据，没有实质性内容，大家看了就只是一知半解，不清不楚。对集体经济的收益、债务、投资，干部的酬劳和招待费、手机费等老百姓关注的敏感性问题，笼统地放在其他项目栏内，不便于大家了解基本情况。

张主任：村务公开既要注重形式，更要注重内容，还要做好民主监督工作。晋城市陵川县的小召村就做得比较好。他们的办法主要有这样几种。第一是采用"公开栏"

的形式,将上级要求的各阶段财务活动、各项指标、账表数据等进行公开。第二是采用"明白卡"的形式,将农户与集体的往来情况、集体的收支情况、一事一议情况、农民负担情况进行公开。第三是随时张榜,将重点工程、合同发包、救灾救济、政策落实等情况进行公开。所有这些公开形式的推行,都保证了公开的实效,起到了公开的作用。同时,他们还成立了民主监事会,由十来名老党员、老干部组成。民主监事会的主要职责就是对村务公开进行常年监督,及时提出公开工作中的不足和缺陷,确保村务公开的及时、全面、真实、准确和连续,推动了村务公开的规范化,杜绝了村务公开中敷衍了事、流于形式的现象。

王支书:前段时间我去清徐县学习实行村务公开的经验,感觉不错。清徐县有178个村建立了村级主要干部廉政档案,192个村建立了党员代表议事会和村民代表议事会,188个村建立了理财小组。这些对我们村的村务公开很有借鉴意义。

张主任:就我们省来说,对村务公开的要求是"1+4"。就是要办好一个村务公开专栏,每年公开四次。这样就比较规范

了。村务公开,有好多好处。首先是激发了村民关心集体的热情。其次是给大家一个交代。再次是对干部进行了监督,特别是给了干部一个清白。总的来说,村务公开是农村民主建设的重要手段,是推动村民自治和农村民主化进程的有效方法。

王支书:是的。不搞村务公开,大家不知道村里要干什么,不容易调动大家的积极性,形不成一股劲。村务公开对干部也是一种约束。那些不对的事、不好的事,村干部就不敢做了。特别是现在经济发展了,政府给的各种扶持、帮助多了,不公开大家弄不清是怎么回事,有时候还出现对村干部的不理解,甚至误解,说你贪污了、腐败了等。弄得干部们很伤心。辛辛苦苦地干,还要让人误解。久而久之,干部们的积极性也受影响。

老 李:村务公开是件大好事,主要是给村民一个明白,还干部一个清白。

村民自治要有活力

王支书:十七届三中全会要求,要健全农村党组织领导的充满活力的村民自治机制,推进村民自治制度化、规范化、程序化。张主任,你给我们说说这方面的情况。

张主任:村民自治,是广大农民群众在农村基层直接行使民主权利,依法自我管理、自我教育、自我服务,实行民主选举、民主决策、民主管理、民主监督的一项政治制度,是我们党领导亿万农民建设有中国特色社会主义民主政治的伟大创造，是实现农民当家做主的主要形式。它的关键就是前面说的"四个民主"。

王支书：我记得，我国的村民自治制度是在人民公社制度废除、家庭联产承包责任制实施后兴起的。

张主任：1980年初，广西宜山县果作村等6个生产队的85户农民以无记名投票的方式，选举产生了我国历史上第一个村民委员会，自发产生了村民自治组织。起初的自治组织是维护集体水利设施和社会治安，后来逐步扩大为对农村政治、经济、文化、社会生活等事务的自我管理。1998年，国家颁布了《村民委员会组织法》，把村民自治这种新型的治理模式以法的形式确立下来。算起来已经实施了十多年了。

王支书：虽然村民自治已经在各地农村普遍推广，但是我觉得实际当中还有许多需要完善的地方。

张主任：这主要是不少地方还没有真正达到"四个民主"的总体要求。一般来看，各地民主选举取得了较大成绩，但是另外三个民主的落实还不到位。有的地方虽然通过民主选举，选出了村干部，但由于缺少有效的民主管理、民主决策和民主监

什么是"四议两公开"

河南省邓州市适应农村改革发展的新形势，于2005年起创新实践了"4+2"工作法。2009年5月初开始，河南省委在全省范围内推广。

"4+2"工作法的基本程序是"四议两公开"：凡是村里的重大事项决策，都先由村党支部提议，再交村"两委"商议，然后交村党员大会审议，最后由村民代表会议或村民大会作决议。决议形成后，还要公示并征求群众意见，实施结果也要公示，接受群众监督。

督,农民群众还是不能有效地参与管理和决策,也不可能实行好监督的职能,使村民自治流于形式。

王支书: 我在报纸上看到河南邓州市农村首创的"4+2"工作法,也就是我们通常说的"四议两公开",就是增强村级民主自治活力的好经验。

张主任: 这个经验很好,确实值得推广。它坚持了党的群众路线,农民群众的事情让农民群众自己议、自己定、自己干、自己管,能够把群众的首创精神激发出来并形成决策,然后再形成推进农村改革发展的强大合力。集资修路、发展集体经济等一些过去不好办、办不好甚至不敢办的事情,由于实行了"4+2"工作法,问题迎刃而解。

王支书: 和人家的做法一对照,我感到我们村的村民自治还得完善和提高。

张主任: 对。"四议两公开"工作法好处很多。第一是明确了农村基层组织的工作责任。党支部享有主动权,能够充分发挥领导核心的作用;村委会享有自主权,能够充分发挥决策执行的主体作用。两者之间的关系进一步明确了。"两委"班子各司其职,实现了工作相连、力量相聚、目标相同。这第二个好处是理顺了村干部的工作思路。它汇集了民智,凝聚了民心,推进了科学决策、民主决策,解决了部分干部不愿干、不敢干、不会干的问题。第三个好处是理顺了干群关系。群众参与有渠道,管理有资格,诉求有回应,监督有保障,有效地预防了权力的滥用,化解了矛盾和问题。第四个好处是推进了基层民主。实现了决策过程让群众参与、决策效果由群众检验,使群众管理村级事务的主观意愿变成了看得见、摸得着的民主实践，促使党员干部主动问政于民、问需于民、问计于民，争取群众支持，赢得群众认可。

王支书：总的来看，完善了村民自治，就推进了改革发展。邓州市的做法确实是个可学、能学也好学的经验。

老　李：这个做法好！突出了咱农民的主人翁地位。

农村反腐要抓紧

张主任：十七届四中全会要求加快推进惩治和预防腐败体系建设，深入开展反腐败斗争。农村也一样，要针对当地特点，加大反腐力度。

老　李：农村低保是农村困难户的"活命钱"，可是我看新闻上说广西接连曝光三起滥发、冒领农村低保金事件。这可不行啊。

张主任：在农村工作中，这些问题要引起警觉。有的地方存在村干部"拿国家政策来送人情"的现象，我们必须堵住这个漏洞。最好的办法就是要完善运行机制。就拿农村低

反腐败是重大的政治任务

《中国共产党第十七届中央委员会第四次全体会议公报》指出：坚决反对腐败，是党必须始终抓好的重大政治任务。必须充分认识反腐败斗争的长期性、复杂性、艰巨性，把反腐倡廉建设放在更加突出的位置，坚持标本兼治、综合治理、惩防并举、注重预防的方针，严格执行党风廉政建设责任制，在坚决惩治腐败的同时加大教育、监督、改革、制度创新力度，更有效地预防腐败，不断取得反腐败斗争新成效。

保金的发放来说，应该先由村民提出申请，再由村委会对他们的情况进行核实，然后成立由村委会成员、村民代表及其他人员参加的评议小组进行评议，确定人选后要张榜公示，然后才能上报到乡政府。乡政府还要再次进行严格核实，最后报送县民政局审批。

王支书：这种层层评议的办法，就是要确保把低保金发给最困难、最需要帮助的人，不能让人情、关系占了上风。

张主任：这样，加大打击腐败的力度，铲除滋生腐败的土壤，完善各项规章制度，确实是很迫切。但是，我们要更加注重思想上的问题。千腐万腐，思想变腐最可怕。"千里之堤，溃于蚁穴。"贪心不足蛇吞象。一个人思想上的大堤一旦打开了缺口，解除了武装，后果将不堪设想。

老 李：按照党风廉政建设的有关规定，农村招待费早已取消。但近年来，有的地方的招待费又卷土重来。有的村干部买手机的钱、家中的电费等也在集体财务中报销。

张主任：由于"两委"干部素质参差不齐，加之培训不到位，在有些地方确实出现了财务管理混乱的问题。比如科目设置不规范，家底不明晰，财务审批不严格，村干部权力过于集中，白条顶账、自批自支、会计出纳"一人兼"等现象还不同程度地存在。因此，政府职能部门要切实加强对农村"两委"的监管，深化村财乡镇托管制度，严格禁止设置账外账、小金库。同时，要深化乡干部到村任职制度，建立健全乡村干部利益共享、责任共担工作机制，赋予到村任职干部应有的监督权力，增强到村任职干部和包村干部监督村务工作的责任感和主动性。

老　李：在我们村没有这些问题，干部们都比较自觉。

王支书：我看以后要加强监管。要不时间长了，就容易出问题。

张主任：现在农村的事情多了，经济往来的数目大了。比如政府发放的各种补助，基础设施建设、发展项目的开工、征地的补偿，等等，都很复杂。另外，诸如批宅基地、上学、参军等，也都要靠村里去办。如果干部们不加强反腐倡廉，不仅自己要出问题，也会影响农村的发展，影响干群关系，损害党的形象。

王支书：其实只要按国家的规定来，就不会出问题。现在普遍搞村务公开、民主议事，重大项目要搞审计。有的地方还建立了村民监事会。民主程度提高了，各项制度完善了，实际上也为干部们画好了红线，建起了保护伞。

老　李：农村的反腐倡廉要靠大家才能抓好。

大学生村干部带来了新气象

张主任：咱村的大学生村干部怎么样？

王支书：2006年就给我们村派了大学生村干部。原来以为大学生缺乏农村工作经验，怕"水土不服"。结果干了一段发现，还挺不错的。今年换届就被选为村委会副主任了。

张主任：选聘优秀大学生到农村任职，是加强农村基层组织建设、培养社会主义新农村建设骨干力量和党政干部后备人才的创新之举。从2006年以来，我省已经选聘了

2.8万名大学生村干部。

王支书：张主任，对大学生"村官"从"学生娃"到"村干部"的转变，各地有什么好的做法和经验？

张主任：我觉得应该从两方面来说。一方面，大学生要有两个准备。一是要有吃苦的思想准备；二是要有相应的知识准备。农村条件差，生活相对来说要艰苦一些。农村的工作也是事无巨细，非常繁杂。大学生在学校学到的知识也不一定能用上，而农村工作又需要他们尽快掌握工作需要的东西。所以要做好这两个方面的准备。

老　李：来我们村的那个小伙子还是很能吃苦的，脑子也转得快。

张主任：另一方面是，各级组织要关心他们，支持他们，为他们做好工作、锻炼成长创造条件。为使大学生村干部能尽快"适应水土"，并且"生根开花"，各地边摸索边规范，在选拔、培养、管理、帮带上逐渐积累了一些经验。如太原市清徐县提出，对大学生村干部要"高看一眼，厚爱一分"，

大学生村干部给咱村带来了新气象。

"政治上吃偏饭",只要是县委、县政府召开的涉农工作大型会议都尽可能安排大学生村干部参加。太原市娄烦县组织优秀大学生村干部到华西村学习考察。这些工作对他们成长进步都很有意义。

老　李：大学生"村官"经常宣传政策、法律和科技知识,是很受大家欢迎的"宣传员"、"信息员"和"参谋员",他们为农村带来了新气象。

张主任：是啊,他们用新知识、新思路服务农村,服务农民,在实践中也锻炼了自己。实践证明,这一举措非常符合我省农村发展的实际,大大改善了农村干部队伍的年龄结构和知识结构,为新农村建设提供了人才保证和智力支持,得到了大学生们的积极响应,也受到了农村干部、群众的热烈欢迎。

王支书：我听说晋中介休市绵山镇的几个大学生村干部成功引进资金,合股成立了"众利生态发展公司",以"养牛—沼气—种菜"的循环发展模式,带领村民致富。

张主任：这些都是发展农村经济的好典型。我还知道一个叫郝晓军的大学生,是我省第一批竞聘的大学生村干部,现在在太原市万柏林区东社村当村党支部副书记。东社村是我省新农村建设的试点村。她利用自己掌握的专业知识,帮助村里编制了新农村建设的五年规划方案,又制订了城中村的改造方案,被村民称为是"知识型村官"。还有一个叫赵华的大学生,2007 年到阳泉市盂县的北坡村工作,担任村党支部副书记。她与村民一起出资 30 多万元,建成了养猪专业合作社,引进的发酵床养猪技术试验取得

成功，获得了大家的认可。

王支书：我还见到一份材料说，朔州市朔城区太平窑村的大学生村干部，叫毛晓霞，在广泛征求群众意见的基础上，带领大家发展蔬菜种植业，引进西瓜、香瓜新品种，找专家进行指导，使得村民的收入大大提高，人均年纯收入达到5200元。

张主任：这样的例子在大学生村干部中还有很多。比如晋中市和顺县松烟镇的多名大学生村干部积极协助镇、村两级发展核桃经济林近20万株，成活率在95%以上。他们主动学习、传授种植技术，义务为种植户栽树、剪枝、嫁接，引导村民发展特色产业，被当地群众称为农民的带头人、农业的"洋"专家。

老　李：这些大学生还真是能干。

张主任：除了发展经济外，大学生村干部在完善农村基础设施、支持农村教育、丰富农村文化生活等方面都发挥了积极的作用。有一个叫谷李斌的大学生，2008年当选为平顺县西井山村的党支部书记兼村委主任。这个村就是前一段宣传的好支书王海潮所在的那个村。他带领村民四处求援立项，建了一座500立方米的饮水池，还为村里争取了20万元，接通了移动信号，办起了"农家书屋"，有效地改善了村民的生活环境。所以说，大学生村干部既是农民致富的推动力量，又是基层政权建设的重要力量。

王支书：大学生"村官"好是好，就是怕农村条件差，留不住人，又怕耽误了他们事业的发展，我们也得为他们的前途着想。

张主任：选聘大学生村干部绝非权宜之计，而是一项长期的制度性建设。让他们"下得去，待得住，干得好，流得动"，在农村发挥应有的作用，是我省选派工作的出发点和落脚点。选聘的大学生实行聘约管理，合同期一般为3年。同时采取灵活性政策，服务期满后可续签合同，服务期内因参军、入学、考取公务员或者被事业单位录用等，需要终止合同时，只要本人提出书面申请，报县委组织部审批即可解除合同。

老　李：这些规定好，打消了大学生"一条道上走到底"的担心。

张主任：选配大学生村干部，要作为一项长期制度坚持下去，这样才能为农村基层组织补充新鲜血液。对大学生来说，通过这种锻炼，使他们进一步了解了国情，体察了民情，增长了才干，这对他们个人的成长非常重要。将来，那些真正能干大事的，一方面要有知识，另一方面还必须懂国情。这些人才是国家未来的栋梁啊！

筹资筹劳要一事一议

张主任：农村发展公益事业要按照"村民一事一议"进行筹资、筹劳。这一制度的初步建立，对农村公益事业的发展发挥了积极作用，符合农村的实际情况，更符合农民的普遍愿望。但是我听说在执行过程中存在不少问题。

王支书：主要是存在"三难"。一是开会议事群众集中难。青壮年好多出去务工经商了，还有的村民对村里的事不关心，召开村民大会议事的难度就比较大。二是意见统一难。主要是受益不均。直接受益的积极性较高，不直接受益的积极性就低。特别是几个村共用的道路、桥梁、水库等，意见就不好统一。三是执行落实难。虽然村民代表会议上通过了，但少数不同意的迟迟不肯拿钱。

> **筹资筹劳必须一事一议**
>
> 一事一议筹资筹劳是指为兴办村民直接受益的集体生产、生活等公益事业，按照规定经民主程序确定的村民出资投劳的行为。筹资对象为本村户籍在册人口和其他常住（一年以上）受益人口，筹劳对象为上述受益人口中男性18周岁～55周岁、女性18周岁～50周岁的劳动力。

张主任：要解决好这些问题，关键是要真正为村民把好事办实，把实事办好。同时，要严格按照有关规定执行。

王支书：具体有些什么规定？

张主任：按照省里村民一事一议筹资筹劳管理办法的规定，要求要严格遵守村民自愿、直接受益、量力而行、民主决策、上限控制这样五项原则。凡是由村民筹资筹劳，开展村内集体公益事业建设的，各级政府应该采取项目补助、以奖代补等办法给予支持，实行筹补结合。

老　李：有的地方工程不做预算，筹资前不征求群众意见，也不召开村民代表会议讨论，即使召开群众代表大会也是走走过场，大家当然就有意见了。

张主任：还有的是对工程款额不公布，不按要求审批。有的干部认为一事一议筹资标准低，申报程序复杂，擅自向农民超范围、超标准筹资筹劳。村民对筹资筹劳资金的收取、使用情况和工程结算情况不清楚，肯定会有意见。严重的还会导致信访案件发生。

王支书：一事一议所筹资金和劳务能否真正用在项目上，是大家最关心的事。

张主任：所以，从立项、审核到实施、竣工和验收，都要坚持阳光操作，民主管理，增加透明度。总的来说，要把好"五关"。

王支书：哪五关？

张主任：一是预算关。要本着"有事筹资，无事不筹"的原则，在年初编制当年公益事业的预算方案。筹资标准也要严格控制在政策规定的标准之内。二是程序关。必须经过三分之二以上的村民或者是村民代表会议讨论通过后，报乡镇政府审核，然后还要经县农民负担监督管理办公室批准，才能实施。三是监管关。所筹资金要专户核算，专款专用。如果有了节余，就应用于以后的公益事业项目。四是决算关。项目完成后，要核算收支情况。五是公开、审计关。要把村民会议表决的情况、到户筹资的情况、资金使用和结余的情况，还有审核报批的情况，等等，全部公开，接受群众的监督。

王支书：这些程序还真是复杂。不过如果真这样走下来，大家也就明白了。

张主任：更重要的是在实施过程中不会出问题，也保护了干部。

老　李：那要是有问题怎么办？

张主任：审计部门要对一事一议项目进行审计监督。

出现的不合理问题,要有专人办理。如果发现违规行为,比如违法啦、贪污啦,要查处到位,绝不姑息。这样就能保证一事一议筹集的款项取之于农民,造福于农民,把项目办到农民的心坎上。

十七届四中全会精神要落实

张主任:王支书,十七届四中全会刚开过,全会作出了加强和改进新形势下党的建设若干重大问题的决定。你们村组织学习了没有?

王支书:正在组织党员学习。不过,今天给我俩吃点"偏饭"吧。

张主任:这次全会,是在国际形势继续发生深刻变化,我国处在进一步发展的重要战略机遇期召开的一次重要会议。学习掌握全会精神,我感到主要有这样几点:第一,要把握一个主题,就是如何以改革创新的精神推进党的建设新的伟大工程。这是我们党目前提高执政能力,保持先进性,应对复杂局面,推进改革发展的重要任务。

王支书:这几年,咱们的党建工作还是抓得挺紧的,做了不少工作。

张主任:第二点,总结了六条基本经验。主要是:坚持把思想理论建设放在首位,提高全党马克思主义水平;坚持把推进党的建设伟大工程同推进党领导的伟大事业紧密结合起来,保证党始终成为社会主义事业的坚强领导核心;坚持以执政能力和先进性建设为主线,保证党始终走在时代前列；坚持立党为公，执政为民，保持党同人民群众的血肉联系；坚持改革创新，增强党的生机活力；坚持党要管党，从严治党，提高管党治党水平。这六条经验可以简单概括为"六个坚持"，分别说的是思想理论、领导核心、执政能力和先进性建设、党群联系、改革创新、管党治党六个方面。

王支书：还有"四大考验"。

张主任：对！这就是第三点。这"四大考验"是说，我们的党面临着执政考验、改革开放考验、市场经济考验、外部环境考验，而且是长期的、复杂的、严峻的。这表明我们党是清醒的，具有高度的自觉意识和自信心。

老　李：我们可得经得住考验啊！

张主任：要掌握的第四点就是我们加强党的建设的六大主要任务：一是要建设马克思主义的学习型政党；二是要积极发扬党内民主；三是要建设高素质的干部队伍；四是要夯实党执政的组织基础；五是要保持与人民群众的血肉联系；六是要深入开展反腐败斗争。

王支书：就农村党建来说，咱要注意些什么问题？

张主任：我觉得有三个方面比较突出。一个是全会提出要建设马克思主义学习型政党，提高全党思想政治水平。这是一个新提法，也是个非常高的要求。对于基层农村来说，就是要建设学习型党组织。

王支书：对学习咱们也还是比较重视的。现在农村工作也不那么简单，政策、理论、形势，什么也得知道。要不然，老百姓不服，咱自己也底虚。

张主任：农村基层组织建设开展学习，我觉得还是要结合农村实际。要深入学习党的理论、政策，这样才能保证方向正确。也要学习和农村工作关系密切的法律、法规。这样工作起来就有章有法，比较主动。但是还有非常重要的一点，就是要多学一些市场经济知识和实用科技知识。党的干部在带领群众发展中，应该眼界更宽些，办法更多些。这样才能在群众中树立起威信。

老　李：王支书还是很爱学习的。

王支书：学得不算好，一忙起来就忘了。

张主任：这就要靠制度来约束。比如，规定每月村支部要开展一次党员活动，进行一次集体学习，逐步在党员中形成一种习惯，也会带动其他人学习。另外，要在党员和积极分子中开展一些相关的活动，组织年轻人交流，搞一些类似于致富好办法征文等。特别要结合村里的工作实际，请一些专家来辅导。像你们要发展规模养殖业，就要走出去学习，请进来辅导。

王支书：这方面还是有很多事要做的。

张主任：第二个方面，就是作风建设。全会特别提出了要大兴"四风"，就是要大兴密切联系群众之风；大兴求真务实之风；大兴艰苦奋斗之风；大兴批评和自我批评之风。这些要求我看对农村来说也是非常有针对性的。有的人，掌了权，就忘了本，对群众的要求不管不问，对大家的困难无动于衷。有的人爱虚荣、要面子，就是不会实干；有的人好高骛远，想的事不切实际，贪图享受，听不得不同意见，等等，都程度不一地在我们的干部中存在。

老 李：咱村的干部可不错。

张主任：作风问题是小事，也是大事。有的人说，我就是吃点喝点，也没有贪污，也没有犯法，不要紧。可这种思想很可怕，长久下去就败坏了党风，损害了党的形象，失去了民心。所以中央要求，要弘扬党的优良作风，用优良党风促政风、带民风。

王支书：作风建设也需要加强监督。老李，你们这些老党员可要多操点心。

张主任：我觉得第三个方面是全会对加强基层组织建设也提出了许多新要求。比如，要求扩大基层组织的覆盖面，做到哪里有群众哪里就有党的工作；哪里有党员哪里就有党组织，哪里有党组织哪里就有健全的组织生活和党组织作用的充分发挥。这个要求很高，特别强调要推广在农民专业合作社、专业协会、非公有制经济组织和外出务工经商人员中建立党组织。

王支书：这方面咱还得加强。

张主任：有些民营企业、乡镇企业，过去没有建立党的组织，现在就要着手做工作。按照"便于加强管理，便于发挥作用"的原则，每个生产经营正常、有3名以上正式党员的企业，都要单独建立党的组织。对仅有一两个党员的企业，可挂靠在就近的企业或村党支部。有的还可以组建联合党支部。

王支书：像咱村的小煤窑，这次要关了。这些企业的党组织该怎么办？

张主任：对处于关、停、并、转状态的企业党支部，要及时调整。主要的形式就是以企管理、属地管理、挂靠管理、定向管理，这样才能做到管好在家的，管住外来的，管活外出的。其实在这些经济组织中建立党的组织，对企业的发展很有好处。我就认识一个民营企业的负责人。他说他的企业刚开始时，发现不好管理，员工认为是给老板打工，没有凝聚力，也没有归属感，人心不齐。这位民营企业负责人原来当过村支书，就想起来建立党支部、团支部，结果这些党员、团员觉得找到自己的家了，心也收回来了。他们还在企业里开展"党员身边无事故"活动、共青团标兵评选活动，结果员工的生产积极性大大提高，责任心也增强了。就是出去谈业务，好多人一看他还是支部书记，人家对他就放心多了。

王支书：下一步咱村成立合作社，还是要把党、团组织建起来。

张主任：这次全会也提出，要构建城乡统筹的基层党建新格局。这表明中央对推进城乡一体化、统筹城乡发展有了明确的思路。

王支书：具体有些什么要求？

张主任：比如实行机关、企业、社区党组

加强党的基层组织建设

十七届四中全会提出，党的基层组织是党全部工作和战斗力的基础，是落实党的路线、方针、政策和各项工作任务的战斗堡垒。必须坚持围绕中心、服务大局、拓宽领域、强化功能，进一步巩固和加强党的基层组织，着力扩大覆盖面，增强生机活力，使党的基层组织充分发挥推动发展、服务群众、凝聚人心、促进和谐的作用，使广大党员牢记宗旨，心系群众。要推进基层党组织工作创新，增强党员队伍的生机和活力，建设高素质的基层党组织带头人队伍，构建城乡统筹的基层党建新格局。

织与农村党组织结对帮扶,加强党员动态管理,推动城乡党组织一方为主、连续培养、两地考察、互相衔接的优秀农民工入党办法等,主要就是把城乡党建工作作为一个整体来对待。具体的做法我看有这样一些。一是要整合城乡有效资源,构建城乡一体化的党员教育管理新平台。前一段省里组织了全省乡镇党委书记的大培训,就是这个意思。二是要建立以城带乡的培训基地,为农村党员创业行动提供全方位服务。三是要建立城乡一体化的党员联系服务群众工作机制,组织协调有关方面为农民工提供就业、社保、住房、培训、医疗、子女教育和权益维护等服务,组织开展关爱"留守儿童"、"空巢老人"活动。四是要建立城乡一体化的党内激励关怀帮扶机制。

王支书:这样我们农村的工作就更好做了。

老　李:张主任,快喝口水吧!

张主任:还真有点渴了。外面又弹又唱的,好热闹啊!

王支书:庆祝新中国成立60周年,乡里要举办"爱祖国、爱家乡红歌大家唱"比赛,大家在那儿练呢。

张主任:那咱们也过去看看嘛。

王支书:干脆和我们一块唱吧。你要参加,乡亲们一定很高兴。

张主任:唱什么?

老　李:唱红歌嘛,《没有共产党,就没有新中国》。

张主任:这我会唱。

老　李:那咱就一起唱!

后 记

　　为扎实搞好第三批深入学习实践科学发展观活动，给广大农村党员提供适用的辅导读物，中共山西省委深入学习实践科学发展观活动领导小组办公室与省委组织部、省委宣传部共同组织编写了《与农村党员谈心——说一说农村学习实践科学发展观》一书。

　　省委常委、组织部长、省学习实践活动领导小组办公室主任汤涛同志亲自策划并具体指导了本书的编写。编写组成员先后分别与部分村党支部书记、村民委员会主任、乡镇党委书记、省直有关厅局负责同志和社科理论界的专家学者进行了座谈，听取了大家的意见和建议。在参阅大量资料，反复讨论修改的基础上，数易其稿，最终成书。书中引用的事例，全部出自权威媒体和正式材料。

　　参加本书编写工作的有：杨波、杜学文、张效堂、史培华、崔建周、王卫红、郭妙卿、赵江燕、黄桦、林晓方、贾成奎、严志宏、张文静等同志。朱先奇、张葆、陈学东、王利波、关建勋、安雅文、牛榆生、尹天五、侯广章、秦书义、王淑敏、冯京民、杨峰、谢振中，以及李广洁、秦继华等同志分别参加了本书的讨论、审稿和有关工作。王峰同志为本书创作了漫画插图。

　　本书在编写过程中，得到了省委政研室、省委党校、山西日报社、省农业厅、省社科院、省发改委宏观经济研究所、太原市委宣传部、太原市委讲师团、临汾市委讲师团等单位的大力支持。由于时间仓促，水平有限，疏漏和不妥之处在所难免，请读者批评指正。凡涉及到有关政策的部分，由于各地贯彻落实的具体措施不一，请根据当地实际情况执行。

编　者

2009年9月